Fantastische Feiten

SPEUREN NAAR SPOREN

door Jan Paul Schutten

met tekeningen van
Sieger Zuidersma

KLUITMAN

In de serie Fantastische Feiten zijn de volgende boeken verschenen:

Voetbal is kicken!
Daar komen de Romeinen!
Topgeheim - Niet openen! Alles wat je niet mag weten
over spionnen
Bla bla bla - Wonderlijke woorden en te gekke talen
Over Nederlands gesproken… - Het verhaal van onze taal

Nur 210/GGP020801
© Uitgeverij Kluitman Alkmaar B.V.
© MMVIII tekst: Jan Paul Schutten
© MMVIII illustraties: Sieger Zuidersma
Omslagontwerp: Design Team Kluitman

www.kluitman.nl

Inhoud

Moord?

Je fietst naar huis. Onderweg zie je overal rood-witte plastic linten. De politie heeft de buurt afgezet. Niemand mag erbij. Wat is er gebeurd? Een inbraak? Een moord? Eén man is duidelijk de baas. Dat is vast de hoofdrechercheur. Er zijn ook mannen in witte pakken. Die verzamelen met een pincet allerlei kleine dingetjes. En zo lopen er nog meer mensen rond: politieagenten, rechercheurs, cameramannen… Cameramannen? O, is dat het! Ze zijn een film aan het opnemen. Er is helemaal geen misdrijf gepleegd. Nou ja. Dat is natuurlijk maar goed ook. Want een moord of inbraak is nooit leuk.

Maar ben je toch nieuwsgierig? En wil je weten wat er gebeurt bij een echte misdaad? Zou je het liefst binnen die rood-witte linten willen staan en van alles vragen aan die rechercheurs? Dan moet je dit boek lezen. Want hier lees je precies hoe de politie de grootste misdadigers weet op te sporen. Maar… je moet wel tegen bloed kunnen. En je moet een sterke maag hebben.
En nou snel wegwezen, want anders verpest je de hele opname!

Goed kijken, goed nadenken. Dat is het belangrijkste!

Wie is de beroemdste speurneus uit de geschiedenis? Sherlock Holmes. Nou ja, hij heeft natuurlijk nooit echt bestaan. Hij is bedacht door de schrijver Arthur Conan Doyle. Maar ook al komt hij alleen in boeken en films voor, je kunt toch een hoop van hem leren. Want zelfs als je niets weet van het oplossen van misdaden, dan kun je door goed te kijken toch heel veel te weten komen.

Sherlock Holmes was een meester in het kijken naar mensen. Hij zag dingen die andere mensen niet zagen. En dat is een eigenschap die je als rechercheur moet hebben. Een voorbeeldje:

Voordat je verder leest: denk eens na over wat jij over deze man kunt vertellen…

Ben je klaar? Dit is wat Sherlock Holmes ervan zou zeggen.

De man heeft in het leger gezeten, maar is afgekeurd. Nu is hij taxichauffeur. Hij is net opnieuw vader geworden, terwijl hij al een zoontje of dochtertje had. Het zou me niet verbazen als hij in die boodschappentas ook nog muisjes heeft zitten. Ik denk ook dat hij naar bier of jenever ruikt en hij houdt van biljarten. De baby maakt zoveel lawaai dat hij er gek van wordt. O ja, hij gaat straks tegen zijn vrouw liegen…

Hoe weet Sherlock dat allemaal zo zeker?

Da's toch logisch. Aan de legerschoenen zie je dat hij in het leger heeft gezeten. Hij heeft een wandelstok, dus hij is niet meer geschikt als militair. Zijn linkerarm is bruin, zijn rechterarm niet. Dat betekent dat hij veel auto rijdt, met zijn arm uit het raam. Precies zoals taxichauffeurs doen. Bovendien heeft hij een identificatiekaartje bij zich. En dat moeten taxichauffeurs altijd bij zich hebben.
Aan de luiers en de kringen onder zijn ogen zie je dat hij net vader is geworden. Bovendien zal een oud-militair niet snel zelf boodschappen doen. Dat laat hij aan zijn vrouw over. Maar die rust nog uit van de bevalling. Hij heeft beschuit bij zich, dus hij gaat vast op beschuit met muisjes trakteren.

Dat hij al een zoon of dochter heeft, zie je aan de Donald Duck die hij bij zich heeft. En kennelijk werd hij zo gek van het gekrijs van de baby, dat hij niet alleen maar boodschappen is gaan doen. Hij is ook naar het café geweest, waar hij heeft gebiljart. Dat zie je aan de krijtvlekken. Met krijt heeft hij de punt van zijn biljartkeu stroef gemaakt. Natuurlijk moest hij hier en daar op een rondje trakteren. Hij is immers net vader. Hij zal dus zelf ook wel een biertje gedronken hebben. En waarom hij straks gaat liegen? Zijn vrouw vindt het vast niet fijn dat hij naar het café is geweest. Die heeft liever dat hij zoveel mogelijk thuis blijft. Dus hij gaat zo een smoes bedenken waarom hij zolang is wegge- bleven. Want hij gaat natuurlijk niet vertellen dat hij in de kroeg zat…

Als je later ook zo'n goede speurneus wilt worden, moet je op straat eens kijken naar de mensen om je heen. Wat kun je over ze vertellen? Wat verraden hun handen, hun ogen en hun kleren? Hoe meer je oefent, hoe beter je er in wordt.

Bloedspetters en moddersporen

Voor je begint…

Stel, je bent een rechercheur. Je komt net aan op de plek van het misdrijf, de zogenaamde 'plaats delict' of PD. Wat is het eerste wat je doet? De plek afzetten met linten, zodat niemand er bij kan komen? Kijken of de dader nog in de buurt is? Omstanders zoeken die misschien iets gezien hebben? Nee, nee en nog eens nee. Het eerste wat je doet op de plek van de misdaad is kijken of er mensen in levensgevaar zijn. Of het nu om een inbraak gaat of om een mogelijke moord. Zijn er slachtoffers? Hebben die hulp nodig? Help hen dan eerst en bekommer je daarna pas om de rest. Als niemand meer geholpen hoeft te worden, kun je je bezighouden met de volgende klus: de daders pakken.

Besmettingsgevaar

Goed. Dan is het nu wél tijd voor het speurwerk, toch? Nee, nog niet. Eerst moet de plaats van de misdaad helemaal afgegrendeld worden. Wie er niets te zoeken heeft, die, eh… heeft er niets te zoeken. Er mogen zo min mogelijk sporen van omstanders bij de sporen van de dader komen. Alles wat maar van de dader af komt, kan helpen: vingerafdrukken, voetsporen, haren, noem maar op. Het is lastig als omstanders deze sporen 'besmetten' met hun eigen sporen. De rechercheurs moeten dus ook goed oppassen dat ze zelf geen sporen achterlaten. Ze dragen daarom speciale pakken waar geen enkel haartje of stukje stof op te vinden is. Ze hebben zelfs een mondkapje voor. Want ook het kleinste druppeltje speeksel dat bij het praten uit je mond komt, kan de sporen vervuilen.

Weinig sporen zeggen veel

Bij bijna elke misdaad zijn er wel sporen te vinden. En zelfs als ze er niet zijn, dan is dat ook weer een belangrijke aanwijzing…

Je weet dan namelijk dat de dader zich goed heeft voorbereid. Hij heeft de misdaad van tevoren gepland. Dat is een belangrijk feit voor als de dader later gepakt is. Want bij een moord 'met voorbedachten rade' krijgt de dader een hogere straf. Ten tweede kan het betekenen dat de dader ervaren is. Want een beginner laat altijd sporen na. En ten slotte weet je dat de dader de tijd heeft genomen. Je bent veel sneller klaar als je je niet druk hoeft te maken om vingerafdrukken en voetsporen.

Het echte speurwerk

Als de hele plaats van de misdaad is afgezet, dan kan het echte recherchewerk eindelijk beginnen. Trouwens, een speurder heeft het nooit over de plaats van het misdrijf, maar over de 'plaats delict'.

Het eerste wat een rechercheur moet doen, is het lezen van de ruimte. Goed kijken. Wat valt op? Hoe zou het gebeurd kunnen zijn? Een voorbeeldje:

14

Hoe weet inspecteur Morsig zo zeker dat de trainer het gedaan heeft? Waarom niet iemand anders? Is dit niet een beetje al te voorbarig?

Nee, in dit geval niet. De trainer is namelijk op z'n minst een serieuze verdachte, om de volgende redenen.
Ten eerste zat Dreunemans gewoon in zijn stoel, televisie te kijken. Als er een onbekende indringer zou zijn, dan had Dreunemans hem direct gezien. Omdat hij een bokser was, zou hij de indringer ongetwijfeld hebben aangevallen.
Maar hij zat nog gewoon in zijn stoel. Dat doe je alleen als er een bekende bij je over de vloer komt. En de enige bekende die bij hem op bezoek kwam, was zijn trainer. Die heeft hem dus verrast met een mes. Simpel.

Inspecteur Morsig had de ruimte 'gelezen'. Zonder ook maar eerst naar de voetsporen of vingerafdrukken te kijken, had hij de moord al opgelost. Dat was in dit geval nogal eenvoudig. Vaak is het een stuk lastiger. Een inspecteur kan niet dagen op de plek van de misdaad blijven om te onderzoeken wat er allemaal bijzonder is in die ruimte. Daarom is er altijd een fotograaf bij die tientallen foto's maakt van de plaats van het misdrijf, eh… plaats delict. Zo kan de speurder de plek altijd nog even 'nalezen'.
Bovendien tellen die foto's ook als belangrijk bewijsmateriaal. Die foto's laten alles zien. Van dichtbij, van veraf, vanuit de linkerhoek, de rechterhoek en het midden, enzovoort. Er mag niets verloren gaan. Soms leggen ze een liniaal naast het bewijsmateriaal, zodat je op de foto precies kunt zien hoe groot het is.

15

De sporen top tien

In de meeste gevallen is het 'lezen' van de plaats van het misdrijf niet voldoende. Je moet bewijsmateriaal verzamelen: sporen dus. Heel veel sporen. Want je kunt het eigenlijk zo gek niet bedenken of het is wel bruikbaar bij het zoeken naar de dader:

10. Verraden door een bloem: stuifmeel – Stuifmeel? Dat onzichtbaar fijne poeder uit bomen en planten? Als bewijsmateriaal? Reken maar. Juist omdat je het niet ziet en omdat het zo ontzettend klein is. Stuifmeel zit overal. In je kleren, op je schoenen, in je haar, noem maar op. Het is al heel wat keren voorgekomen dat een verdachte is veroordeeld door dat fijne poeder.

Dat werkt bijvoorbeeld zo. Stel: er is een lijk gevonden in een bos. De politie heeft een verdachte gevonden, maar die zegt dat hij nog nooit in dat bos is geweest. Als de politie nu stuifmeel in zijn auto of op zijn kleren vindt dat alleen in dát bos te vinden is, dan weten ze dat de verdachte liegt.

9. Scherven brengen geluk: glas – Bij veel misdrijven sneuvelt er een raam of een ander stuk glas. En dat levert altijd belangrijke sporen op. Want als je in de buurt staat, vang je altijd splinters op, hoe het glas ook breekt. Meestal zijn die splinters te klein om te kunnen zien. Maar voor de onderzoekers van de politie maakt dat niets uit. Die kunnen onder de microscoop zelfs aan het kleinste splintertje zien om wat voor soort glas het gaat. Komt het glas uit het ingetikte ruitje overeen met de splinters in de broek van de verdachte? Sluit hem dan maar vast op...

8. Waar rook is, is misschien een dader: sigarettenpeuken – Weet je wat zo grappig is aan roken? Mensen doen het als ze zenuwachtig zijn. En vlak voor of na een misdaad is de dader altíjd nerveus. Je kunt er dan ook zeker van zijn dat hij in de buurt van de plaats delict een sigaret opsteekt. (Als hij rookt, tenminste.) Daarom verzamelt de politie alle sigarettenpeuken in de buurt. Je weet maar nooit.

Op die peuk staan misschien vingerafdrukken, maar nóg belangrijker is het beetje speeksel dat aan het uiteinde zit. Iedereen heeft ander speeksel. Is het speeksel gelijk aan dat van de verdachte? Dat kan geen toeval zijn!

7. Krassen, krassen, krassen: wapens, kogels en gereedschap – Als je met een pistool schiet, dan komen er krassen aan de binnenkant van de loop. Die krassen verdwijnen nooit meer. Ze worden zelfs alleen maar erger als je vaker schiet. De kogel schiet met een enorme snelheid door die loop. Hij krijgt daardoor een afdruk van de krassen. Zo kun je precies zien uit welk wapen een kogel is geschoten.

Met gereedschap werkt dat net zo. Zodra je met een schroevendraaier werkt, ontstaan er krassen en bramen op. Als je als inbreker met die schroevendraaier in het hout van een raam of deur wrikt, dan geven die krassen en bramen ook een afdruk in het hout. Die zie je niet met het blote oog, maar wel onder een microscoop.

6. Wie het kleine niet eert: vezels – Met vezels bedoelt de politie alle draadjes en stofjes die maar van een kledingstuk los kunnen raken. Als een inbreker bijvoorbeeld door een klein raampje klimt, kan er een draadje van zijn jas achter een splinter in het kozijn blijven haken. Maar er kan ook zomaar een pluisje van zijn trui op de grond vallen. Deze sporen zijn vaak goud waard. Hoe klein ze ook zijn.

5. Eerst je voeten vegen: stof en modder – Natuurlijk is het wel zo beleefd om eerst je voeten te vegen voordat je gaat inbreken. Maar het is ook verstandig. Want aan je schoenen zit heel vaak nog wat zand, klei of modder. En de kans is groot dat die viezigheid komt van de plek waar je het meest loopt; je eigen buurt dus. Door het zand en de modder van de plaats delict onder een microscoop te bestuderen, kan de politie er in een laboratorium achter komen of het overeenkomt met de grond waar de verdachte regelmatig rondloopt.

Het kan natuurlijk ook andersom. Dan vindt de politie de modder van de plaats van de moord in de auto of woning van de vermoedelijke dader.

4. Hé, je verliest wat: je voetsporen – Voetsporen in het zand of de modder zijn perfecte aanwijzingen voor de politie. Eerst fotograferen ze die uitgebreid. Daarna maken ze er een afdruk van. Dat gaat heel simpel. Giet wat gips in het voetspoor, laat het hard worden en je hebt een perfecte kopie van de schoenzool. Vind je later de schoenen van de verdachte, dan kun je afdrukken met elkaar vergelijken. Zijn de afdrukken precies hetzelfde? Dat kan geen toeval zijn. Want iedereen heeft altijd wel wat oneffenheidjes in zijn profiel. Je trapt in glas, de schoenzool slijt, er is een stukje uit: dat zorgt ervoor dat geen twee voetsporen hetzelfde zijn.

Maar voetsporen zeggen meer. De schoenmaat bijvoorbeeld. Bovendien kun je er ongeveer aan zien hoe lang de dader is. Staan de sporen ver uit elkaar? Dan maakt hij grote passen. Hij is dus lang.

3. Een veroordeling scheelt soms een... haartje – Een mens verliest gemiddeld 200 haren per dag. Dat geldt ook voor criminelen... En gelukkig verliezen ze die haren soms op de plaats delict. Als er bijvoorbeeld een haartje van iemand in het bloedspoor van het slachtoffer terecht is gekomen, dan is die persoon natuurlijk wel heel erg verdacht!

2. Deze had je vast niet verwacht: oorafdrukken – Alle oren zijn uniek. En insluipers luisteren vaak voordat ze aan de slag gaan of er iemand in huis is. De beste methode is om je oor tegen het raam te houden. Maar, zo laat je wel een oorafdruk achter op het glas. Op die manier zijn er al heel wat dieven opgepakt!

1. De klassieker: hand- en vingerafdrukken – Elke vinger is anders. Zelfs tweelingen die precies op elkaar lijken, hebben toch verschillende afdrukken. En ook al zie je ze niet meteen, op alles wat de dader vast heeft gepakt, zitten vingerafdrukken. Tenzij hij handschoenen heeft gedragen natuurlijk.
Je kunt vingerafdrukken eenvoudig zichtbaar maken. Vermaal daarvoor eerst wat houtskool tot fijn poeder. Wrijf daarna met een zacht borsteltje voorzichtig een dun laag poeder op de vingerafdruk. Blaas ten slotte het overtollige poeder weg, zodat alleen de lijntjes van de afdruk nog zwart zijn. Wil je de vingerafdruk nog mee naar huis nemen? Dat is een fluitje van een cent. Je gebruikt daarvoor een stukje breed, doorzichtig en makkelijk loslatend plakband. Dat druk je op de vingerafdruk en vervolgens plak je dat met vingerafdruk en al op een papiertje.

Uitvinder van de vingerafdruk

Wie heeft eigenlijk bedacht dat je vingerafdrukken voor het opsporen van misdadigers kunt gebruiken? Vast een beroemde inspecteur uit het verleden...

Nou, nee dus. Het komt uit het brein van William Herschel. Hij was een Engelse ambtenaar in India die ervoor moest zorgen dat de mensen daar hun pensioengeld kregen. Dat was in 1860 en toen waren er nog geen paspoorten met foto's. Toch moest iedereen kunnen aantonen wie hij was. Herschel bedacht daarop dat iedereen die recht had op een pensioen zijn vingerafdruk moest laten afnemen. Kwam diegene langs om zijn geld te halen, dan moest hij een nieuwe afdruk laten maken. Die twee afdrukken werden dan met elkaar vergeleken.

Dat was trouwens niet zo nieuw. In Babylonië (nu Irak) deden ze dat vierduizend jaar geleden al! Maar Herschel ontdekte dat niemand dezelfde vingerafdruk had én dat iemands vingerafdruk nooit veranderde. Zo kwam hij op het idee dat misdadigers aan hun vingerafdruk te herkennen waren. Hij stuurde een brief naar de Britse politie en die kon binnen een jaar al tientallen criminelen inrekenen!

Zoek naar puzzelstukjes

Er is bijna nooit één spoor dat direct laat zien wie de misdadiger is. De politie moet altijd op zoek naar zoveel mogelijk verschillende soorten bewijs. Elk spoor is een heel klein puzzelstukje. En al die sporen bij elkaar moeten het hele plaatje laten zien.

Als er modder in een huis ligt die overeenkomt met de grond waar een verdachte woont, dan is dat geen direct bewijs. Die moddersporen kunnen ook van een bezoeker komen die toevallig in dezelfde buurt woont. Als er een haar van de verdachte op de trui van een slachtoffer is terechtgekomen, dan kan dat ook toeval zijn. Misschien botsten ze wel tegen elkaar aan in de supermarkt. Maar dat die haar samen met de modder op de plaats delict worden gevonden, dat is wel heel toevallig…

Hoe meer puzzelstukjes je vindt, hoe beter je bewijs wordt. Maar er zit ook een nadeel aan. De meeste sporen hebben niets met de zaak te maken. Die zetten de politie alleen maar op een dwaalspoor. Het zijn eigenlijk stukjes van de 'verkeerde puzzel'. Moordzaken zijn bovendien nog lastiger dan puzzels. Als je alle puzzelstukjes bij elkaar hebt, kun je een gewone puzzel oplossen. Maar voor de politie kan één zo'n stukje al een groot raadsel zijn. Zoals in dit waargebeurde verhaal:

Een man is dood voor zijn deur gevonden. De politie zoekt de zaak uit.

Na inspectie van het lijk bleek dat de man zijn portemonnee nog op zak had. Een roofmoord kon het dus niet zijn geweest. Ook viel het op dat er nergens een moordwapen te bekennen was.

De man is inderdaad overleden door de klap van een ijspegel. Zijn familie heeft het niet gedaan. Die zouden de man nooit op klaarlichte dag doodslaan en laten liggen. Een roofoverval is het ook niet. Het is niet eens een moord. Hij wilde naar binnen, maar had geen sleutels. Niemand deed de deur open en daarom bonsde hij op de deur. Door dat gebons brak er een ijspegel af. Die viel precies op zijn hoofd. Het is een uiterst akelig ongeluk...

Ik ga op onderzoek uit en ik neem mee...

Weet je waarom veel politiefilms en -series niet kloppen? Omdat de rechercheurs bijna niets bij zich hebben. In werkelijkheid sjouwt een opsporingsteam een hele vracht aan spullen mee. Alles kan van pas komen. Weet je waarom politiefilms en -series nog meer niet kloppen? Omdat de inspecteur die de hoofdrol speelt vaak dwars door de plaats delict loopt. Zo kan hij de sporen verpesten!

Dit nemen rechercheurs allemaal mee naar een plaats delict:
- Een notitieblokje of memorecorder – Om aantekeningen te maken en te zorgen dat hij later niets vergeet.
- Speciale pakken, handschoenen en een mondkapje – Alleen door dit alles aan te trekken weet hij zeker dat hij de sporen niet verpest met zijn eigen haren en pluisjes.

- Krijt of tape – Daarmee kan hij lijnen om het slachtoffer trekken. Zo kan hij later, als het slachtoffer weggehaald is, nog terugzien in welke positie hij of zij lag.
- Een pincet en kleine plastic zakjes – Met een pincet verzamelt hij de kleinste sporen, zoals haren en verf- of glassplinters. Die verzamelt hij in aparte plastic zakjes. Die moeten natuurlijk volkomen schoon zijn, zodat het bewijsmateriaal niet besmet raakt.
- Een vergrootglas – De meeste sporen zijn zo klein dat je ze met het blote oog niet kan zien.
- Een fotocamera en heel veel lenzen voor foto's van ver weg en dichtbij.
- Linialen en meetapparatuur – Onder andere om naast de voorwerpen te leggen die gefotografeerd worden. Zo is op de foto's precies te zien hoe groot die zijn.
- Vlaggetjes of pylonen – Om aan te geven waar een belangrijk spoor te vinden is.
- Een vingerafdruk-kit – Met daarin onder andere borsteltjes, poeder (verschillende soorten voor verschillende materialen), doorzichtig plakband en kaartjes om de vingerafdrukken op te plakken.
- Een voetafdruk-kit – Met onder andere gips, water en een kommetje om te mixen. Deze kit is ook te gebruiken bij bandensporen. Giet wat gips in een bandenspoor in het zand en je kunt precies nagaan welke auto er op de plaats delict heeft rondgereden.
- Een reserveparachute – Nee hoor. Grapje, natuurlijk. Even kijken of je nog wel oplette!

Wat een bloeddruppel allemaal kan zeggen...

Misdadigers haten bloed. Waarom? Omdat het heel veel sporen achterlaat en omdat je die nooit helemaal weg kunt halen. En zelfs als de misdadigers met heel veel moeite alle sporen hebben uitgewassen, dan zijn ze vaak nog te zien met een speciale lamp. En als ze zó goed zijn gewassen dat zelfs de lamp het niet meer ziet, dan zijn er nog altijd vloeistoffen die de sporen weer tevoorschijn toveren.

Maar wat zegt bloed? Nou, behoorlijk wat. Aan het bloed kun je zien waar het slachtoffer was toen hij werd geraakt. Vooral als de moordenaar het lijk later heeft weggehaald, dan komen deze sporen goed van pas. Uit de vlekken kun je bijvoorbeeld ook achterhalen waar de moordenaar stond toen hij toesloeg. Je komt te weten of er gevochten is en hoe dat gevecht is verlopen. En je kunt zelfs te weten komen welk(e) moordwapen(s) de dader gebruikte.

──WEET JE WEETJE──

Een kleine cursus bloedkunde

'Bloed is de inkt van de moordenaar,' zei een sporenexpert ooit. 'De dader schrijft er precies mee hoe hij te werk is gegaan.' Dat klopt wel een beetje. Want elke bloeddruppel is weer anders en vertelt zijn eigen verhaal.

- Een grote of normale bloeddruppel van een normale hoogte laat een mooie ronde vlek achter. Zie je zo'n druppel, dan weet je dat het slachtoffer stilstond en waarschijnlijk een harde klap heeft gehad, bijvoorbeeld op zijn neus.
- Kleine bloeddruppels wijzen op snelheid. Het slachtoffer is door iets geraakt dat met grote vaart op hem af is gekomen. Hij kan bijvoorbeeld geslagen zijn met een stok die is rondgeslingerd.
- Heel kleine bloeddruppels ontstaan wanneer het bloed met een nog grotere snelheid uit het lichaam is geschoten. Dat moet wel via een pistoolschot zijn.
- Zijn de bloeddruppels iets kleiner dan normaal, dan is er waarschijnlijk een scherp voorwerp gebruikt. Een dolk of een mes dus.
- Zie je een spoor van druppeltjes in een boog? De vorm van de boog verraadt de richting van de klap. Daaruit kun je onder andere afleiden of de dader links- of rechtshandig is.
- Is er een spoor van druppels onderbroken door een plek die helemaal bloedvrij is? Dan heeft er iemand bij het slachtoffer gestaan die de bloedspatten heeft opgevangen. Als deze persoon zich niet heeft gemeld bij de politie, dan moet dat een medeplichtige zijn!
- Langwerpige bloeddruppels wijzen op snelheid. Hoe langer de druppels, hoe hoger de snelheid. De bloedende persoon was dus aan het rennen. Zo'n bloeddruppel heeft altijd een smal einde en een breder einde, zoals een uitroepteken. Het smalle einde laat de richting zien waar de druppel vandaan kwam.

- Bloeddruppels met een rafelig randje, zoals de kroonkurk van een flesje bier, komen van een hoogte van meer dan anderhalve meter. Vallen de druppels van bijna twee meter hoogte, dan zie je er kleine spatjes omheen.
- Meestal vallen de druppels niet recht naar beneden. Ze vallen vaak schuin. Die druppels zijn dan niet rond meer, maar hebben de vorm van een ei. De smalle kant laat weer zien waar de druppels vandaan komen. Maak een foto van de vlekken en trek bij elke druppel een lijn in de richting van waar de druppel vandaan kwam. Zo zie je dat alle lijnen op één punt samenkomen. Daar stond het slachtoffer toen hij geraakt werd!
- Een enorme druppel of klein plasje bloed in een gekke vorm betekent dat er een (slag)ader is geraakt. Daar gutste een flinke hoeveelheid bloed uit.
- Een grote plas bloed betekent dat het slachtoffer nog een tijd geleefd heeft. Zolang je hart pompt, blijf je bloeden. En zolang je leeft, pompt je hart.
- Is het een grote wirwar van allerlei soorten druppels? Dan is er een flink gevecht geweest. En de politie hoeft zich de komende tijd niet te vervelen: elke druppel moet onderzocht worden. Misschien komt een van de druppels wel van de moordenaar.

MORGEN MEER IN DE CURSUS. DAN LEER IK JULLIE HOE JE AAN DE SMAAK VAN HET BLOED EEN MOORDZAAK OP KUNT LOSSEN.

ECHT GEBEURD!

De zaak van de net niet perfecte moord

Fred B. had het helemaal uitgedokterd. Hij zou voor eens en voor altijd van zijn grote aartsvijand verlost worden. Hij nodigde hem bij hem thuis uit en schoot hem dood. Vervolgens stak hij zichzelf een paar keer met een mes, veegde het mes schoon, en stopte het in de hand van het dode slachtoffer.

'Het was hij of ik,' zei hij tegen de politie. 'Hij wilde me doodsteken. Het liep uit op een gevecht. En ik kon nog net op tijd mijn geweer pakken dat ik in de keuken verborgen had.' Fred hoopte dat de politie hem zou geloven. Want als je iemand doodt om je eigen leven te redden, dan kun je daar niet voor gestraft worden.

Maar Fred hield geen rekening met het feit dat de politie alles van bloedsporen wist. Zij konden aan de bloedvlekken op de grond en aan de messteken op zijn lichaam zien dat Fred zichzelf had gestoken. Niet alleen ging Fred voor jaren de cel in, hij had ook de rest van zijn leven een paar lelijke littekens op zijn lichaam.

ALS IK DE VOLGENDE KEER IEMAND VERMOORD, ZORG IK DAT HET MEZELF EEN STUK MINDER PIJN ZAL DOEN...

29

Meerdere plaatsen van de misdaad

In lang niet alle gevallen is er één plaats delict. Meestal zijn het er meer. Een plaats delict is namelijk elke plek waar maar sporen te vinden zijn. Dat kan een afgelegen schuurtje zijn waar de misdadigers hun plan voorbereiden. Het kan ook de plaats zijn waar een moord is gepleegd, of de plek waar het slachtoffer uiteindelijk gevonden wordt. Het kan de locatie zijn waar het moordwapen wordt gevonden, maar ook de plek waar de buit is verstopt. In sommige zaken zijn er wel tientallen plaatsen delict.

In zo'n geval hangt de politie een landkaart aan de muur. Of een stadsplattegrond, als het allemaal wat dichter bij elkaar ligt. Bij elke plaats delict zetten ze een pijltje. Zo zien ze in één oogopslag waar de dader allemaal geweest is. Misschien zijn er getuigen, die daar iets verdachts hebben gezien…

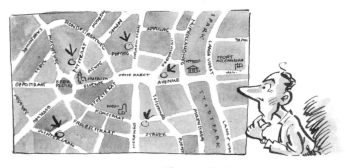

ECHT GEBEURD!

Met straaljagers op zoek naar sporen van de heks
In het kleine Friese plaatsje Anjum gebeurde nooit zoveel. Nou ja, er was al eens een moord gepleegd, maar dat was tientallen jaren geleden. Het hele dorp stond dan ook op zijn kop toen er in 1997 ineens allemaal mannen verdwenen uit

het dorp. Waren ze mischien vermoord door 'de heks van Anjum'?

De heks van Anjum was een dame die in het dorp niet geliefd was. Ze had dan ook met bijna iedereen ruzie. Haar geld verdiende ze met een klein hotelletje. Ze had niet veel be- zoekers. En als er al mensen kwamen, dan waren het vaak misdadigers. Iedereen ging er vanuit dat Marianne (zoals ze werkelijk heet) zelf ook een crimineel was. Zeker toen ze haar hotel liet bewaken door een kleerkast van een vent en ook nog eens andere duistere mannen inhuurde voor schimmige zaakjes.

Maar juist met hen ging het mis. Want op een dag was de 'kleerkast' spoorloos. En niet lang daarna raakte een andere medewerker van haar vermist. En daarna verdween er nog een man uit het dorp. En nog een. En nog een.

Reden voor de politie om haar terrein eens goed te verkennen. En jawel: ze vonden twee lijken. Dat van de bewaker en een andere medewerker van Marianne. Maar er moesten er nog meer zijn, want er waren ineens zoveel mannen uit het dorp verdwenen...

Daarom werd de luchtmacht ingeschakeld. Die konden vanuit een straaljager infraroodfoto's maken. Infrarood laat zien welke plekken warmer zijn dan andere. Als een stuk grond pas is omgespit – bijvoorbeeld om een lijk te begraven – dan kun je dat met deze foto's zien. De straaljagers vonden niets verdachts. En de vermiste mannen keerden één voor één weer terug naar het dorp. Ze waren gewoon even weg geweest. Maar de lijken bleven natuurlijk dood. En de heks van Anjum verdween achter slot en grendel.

Op zoek naar getuigen

Als je weet waar de dader allemaal geweest is, dan kun je op zoek gaan naar getuigen. Misschien wonen er mensen langs de route die de dader heeft afgelegd. Misschien zijn er wel krantenjongens of postbodes die er op dat tijdstip altijd langs komen. Of misschien melden er zich wel spontaan mensen aan die iets verdachts hebben gezien.

Soms weet de politie zeker dat er getuigen moeten zijn, ter-wijl niemand zich heeft aangemeld. In zo'n geval wordt er van de zaak een politiebericht gemaakt. Het bericht komt dan op internet en als het heel belangrijk is misschien ook wel in kranten en televisieprogramma's. Je hebt vast wel eens pro-gramma's als *Opsporing Verzocht* gezien, of een politiebericht na een nieuwsuitzending.

Eerlijk, maar onbetrouwbaar

Natuurlijk doen al die getuigen hun best. Maar dat wil nog niet zeggen dat de politie alles wat ze zeggen moet geloven. Want ook al zijn ze zo eerlijk mogelijk, hun geheugen is een grote bedrieger. Terwijl ze denken dat iemand een witte jas aan had, kan dat best een blauwe zijn geweest. Zo slecht werkt ons geheugen. Dat van hun, dat van jou, dat van ieder-een. Geloof je het niet? Doe dan zelf de test…

Weet jij nog hoe Fred B. uit 'De zaak van de net niet perfecte moord' van een paar bladzijden terug eruitzag? (Niet terugbladeren!) Beschrijf hem eens zo uitvoerig mogelijk... Lastig, hè? En dat, terwijl je hem waarschijnlijk een paar minuten geleden nog gezien hebt!

We maken het nog iets makkelijker... je mag gokken:
- Had hij een snor?
- Droeg hij een bril?
- Was zijn broek grijs of zwart?
- Had hij blond of donker haar?
- En had hij een overhemd aan met streepjes of met ruitjes?

Kijk nu eens. Hoeveel van de vijf vragen had je goed? Zo slecht is je geheugen dus. Kan je nagaan hoe dat werkt met mensen die je een paar dagen geleden hebt gezien. Weet jij nog wat je vader of moeder drie dagen geleden voor kleren aanhad? Dan heb je een bijzonder goed geheugen, want bijna niemand weet dat nog!

Slachtoffers liegen niet

Het lichaam van de dode is in veel gevallen de belangrijkste aanwijzing die naar de dader leidt. Soms is het zelfs de enige aanwijzing. Hoe meer je weet over het menselijk lichaam, hoe meer de dode je over de moord kan vertellen...

Inspecteur De Kock en de vermoorde man

Inspecteur De Kock, met kaa-oo-cee-kaa, bestudeert het lichaam van een vermoorde man...

Inspecteur De Kock is er al snel uit. 'Kledder,' zegt hij, 'noteer: slachtoffer vermoord door iemand die hem haatte. Tijdstip van overlijden: twee uur vanmiddag.'
Assistent Kledder is nogal verbaasd over de snelle conclusie van de beroemde speurder. 'Hoe weet u dit allemaal zo zeker?'
De Kock wijst naar slachtoffer. 'Dat is allemaal heel logisch Kledder. Het slachtoffer is met twintig messteken om het leven gebracht. Die meeste messteken kreeg hij toen hij al op de grond lag en dood was. Dat wijst op haat.'
Kledder is nog steeds niet helemaal overtuigd. 'Waarom lag hij toen al op de grond?' wil hij weten.
De Kock wijst naar muren. 'Kijk, de muren zijn schoon. Als

iemand in zijn borst en keel gestoken wordt, spuit het bloed alle kanten op. De muren zouden dan zeker onder de bloedspatten zitten. Hij moet dus al op de grond gelegen hebben.'

'Aha,' antwoordt Kledder. 'Slim, hoor! En hoe weet u het tijdstip van zijn dood zo precies?'

'Ook dat is heel eenvoudig,' antwoordt De Kock. 'Als je maar weet waar je op moet letten. De dode heeft een wazig vliesje op zijn ogen. Dat had hij een paar minuten geleden nog niet zo sterk. Zo'n troebele blik krijgt hij na ongeveer drie uur. Het is nu vijf uur 's middags...'

Het tijdstip van de moord

Een van de belangrijkste feiten die de politie moet zien te achterhalen, is het tijdstip van de moord. Als de moord om twee uur is gepleegd, dan kunnen er getuigen zijn die de dader rond die tijd bij de plaats delict hebben gezien. Gelukkig is het tijdstip van overlijden met een beetje gepuzzel te achterhalen.

- Ogen – Als de dode zijn ogen open heeft, dan verschijnt er langzaam maar zeker een dun vliesje over de ogen. Na drie uur wordt dat vliesje niet meer dikker en is het oogwit blauwachtig geworden.
- Spieren – De spieren van een dode worden vanaf dertig minuten steeds stijver. Dit heet 'rigor mortis'. Na ongeveer negen uur is het lichaam zo stijf dat je de vingers, armen en benen nauwelijks meer kunt bewegen. Nog negen uur later is de rigor mortis weer helemaal verdwenen.
- Lichaamstemperatuur – Een levend mens heeft een temperatuur van rond de 37 graden. Bij een lijk daalt die bij kamer-

temperatuur ongeveer 0,8 graden per uur. Is het heel warm, of zit de overledene dik ingepakt, dan zal het lichaam minder snel afkoelen. Is het juist koud, dan koelt het lichaam sneller af. Hoe eerder je de temperatuur van het lichaam meet, hoe preciezer je het tijdstip van de dood kunt bepalen.

- Huidskleur – Als iemand sterft, dan stopt het hart met het pompen van bloed. Het bloed zakt dan naar de laagste delen van het lichaam. Daar stolt het langzaam. Dit zorgt voor paarsrode vlekken op de plaats waar de huid het dichtst bij de grond ligt. Vanaf zes uur na de dood zijn de donkere plekken op het lichaam het best zichtbaar. (Dit werkt trouwens niet bij mensen die van zichzelf al een donkere huidskleur hebben.)
Als iemand zwarte plekken op zijn buik heeft, terwijl hij op zijn rug ligt, dan moet hij dus na die zes uur verplaatst zijn.
- Maag en darmen – Zolang je nog kunt eten, ben je niet dood. Daarom kan het tijdstip dat je voor het laatst iets gegeten hebt iets zeggen over het uur van de moord. Als je iets

eet, dan zit het voedsel na tien seconden in je maag. Na drie uur verlaat het eerste voedsel je maag via de dunne darm. Na zes uur is je maag voor het grootste gedeelte weer leeg. Als ook de dunne darm leeg is, betekent het dat de dode in de acht uur voor zijn dood niet meer gegeten heeft. Daarna verlaat het voedsel je lichaam weer na ongeveer een dag.

Hoe langer het duurt voordat het lichaam ontdekt wordt, hoe moeilijker het wordt om het tijdstip van de moord te bepalen. Toch zijn er nog voldoende aanwijzingen om de datum ongeveer te bepalen:

Na twee dagen begint het lichaam grijsgroen te kleuren (behalve bij donkere mensen). Het lichaam begint ook onfris te ruiken.

Na drie dagen is het gezicht gezwollen en onherkenbaar geworden.

Na vier dagen beginnen de aderen steeds duidelijker zichtbaar te worden. Het lichaam stinkt nu enorm.

Vanaf zeven dagen beginnen het hart, de lever en andere organen los te weken. Ze breken open en het vocht verspreidt zich door het lichaam en stroomt via alle lichaamsopeningen naar buiten.

Wat er daarna gebeurt, hangt helemaal van het weer af:

- Ligt het lichaam in de brandende zon? Dan kan het mummificeren. De huid droogt dan helemaal op en zorgt ervoor dat het lichaam goed bewaard blijft.
- Ligt het lichaam op een plek waar het vriest? Dan blijft het zelfs bijna helemaal gaaf.
- Ligt het lichaam in het tropisch regenwoud? Dan kan het lichaam in een paar weken veranderd zijn in een skelet.
- Ligt het lichaam niet op zulke plekken? Dan kan het maanden of zelfs jaren duren voordat het in een skelet verandert. In het water blijft een lichaam meestal iets langer goed dan boven water.

WEET JE WEETJE

Gevleugelde verraders

Er is nóg een manier om de datum van de dood te bepalen. Daarvoor hoef je geen verstand te hebben van het menselijk lichaam, maar van... insecten. Want sommige vliegjes en andere insecten zijn gek op lijken. Zodra een dode begint te stinken, dan vliegen ze eropaf. Het lichaam is één groot vreetfestijn voor deze beestjes. Alsof ze zolang als ze willen in een enorme lekkere pizza kunnen wonen! Ze leggen er eitjes, uit die eieren komen larven en maden, die groeien later weer uit tot vliegen en kevers, die ook weer eitjes gaan leggen... In een paar weken tijd zijn er duizenden en duizenden insecten.

Als je nu weet hoe lang het duurt voordat een eitje tot een larve of made uitgroeit en volwassen wordt, dan kun je door het aantal insecten en larven te tellen berekenen hoe lang iemand dood moet zijn. Dit werkt tot ongeveer vier weken na de dood. Daarna zijn er zoveel beestjes te vinden dat je er niets meer over kunt zeggen.

Eh... hoe is het trouwens met je maag?

In het laboratorium

Als iemand met een kogel of messteken om het leven is gebracht, dan is dat vrij snel te zien. Maar dat is zeker niet altijd het geval. Als een moordenaar iemand vergiftigt, een klap op het achterhoofd geeft of laat stikken, dan zie je dat niet meteen. Dus zodra een politieman een dode vindt, moet hij rekening houden met vier mogelijke situaties:

- Het slachtoffer is op een natuurlijke manier dood gegaan, door een plotselinge ziekte bijvoorbeeld. Of gewoon van ouderdom.
- Er is een ongeluk gebeurd. Misschien is het slachtoffer dodelijk gevallen, of heeft hij zich in iets verslikt.
- Het slachtoffer heeft zelfmoord gepleegd. Dat gebeurt regelmatig.
- Het slachtoffer is vermoord.

Omdat in zo'n geval de doodsoorzaak niet duidelijk is, wordt het slachtoffer onderzocht in een laboratorium. Zo'n onderzoek heet een autopsie. Zo'n autopsie gaat als volgt:

Nog voor de autopsie begint, smeert de lijkschouwer (als je indruk wilt maken zeg je: 'patholoog-anatoom') soms een zalfje onder zijn neus. Dat zalfje geurt heel sterk naar frisse munt. Dat doet hij om de verschrikkelijke lijkengeur niet te hoeven ruiken. Sommige lijkschouwers doen dat juist nooit. Zij vinden dat de geur veel vertelt over de doodsoorzaak…

Het slachtoffer wordt uitgekleed en van alle kanten uitvoerig gefotografeerd. Ze maken ook röntgenfoto's van het lichaam. Zo kun je altijd nog terugzien hoe het slachtoffer eruitzag. Na het onderzoek kan dat niet meer… Het lichaam komt op een speciale onderzoekstafel terecht. Die tafel loopt een beetje schuin en op het laagste punt zit een gat. Daar kan vloeistof die bij de autopsie vrijkomt doorheen stromen. Die wordt opgevangen en ook onderzocht.

De lijkschouwer onderzoekt het lichaam heel zorgvuldig op blauwe plekken, wondjes of andere opvallende vlekken. Overal wordt op gelet. Zo kijken ze bijvoorbeeld of er sporen onder de nagels van het slachtoffer zitten. Daar zitten soms huidschilfers van de dader onder. Het vuil onder de nagels wordt daarom weggehaald en onder een microscoop onderzocht.

Als er bloedsporen zijn, moet de lijkschouwer die allemaal apart onderzoeken. Het bloed hoeft niet allemaal van het slachtoffer te komen. Tijdens een gevecht kan er ook bloed van de moordenaar op het lichaam zijn gekomen.

Het lijk wordt nu opengesneden. De lijkschouwer haalt nu alle organen, zoals het hart, de longen en de lever uit het lichaam. Die worden allemaal apart bewaard en onderzocht.

Daarna wordt de ribbenkast losgezaagd. Zo kan de patholoog-anatoom ook de laatste organen verwijderen.

Als laatste haalt de lijkschouwer met een zaag een deel van de schedel los. Voorzichtig tilt hij de hersenen er met twee handen uit.

WEET JE WEETJE

De eerste autopsie

De eerste autopsie ooit is zo'n 2000 jaar geleden uitgevoerd op een heel bekende man. Weet je op wie? Op de Romeinse keizer Julius Caesar. Het is overigens een raadsel waarom ze vonden dat zo'n autopsie nodig was.

Caesar was in het bijzijn van heel veel mensen doodgestoken. Hij had 23 messteken in zijn lichaam. Overigens was maar een van die messteken dodelijk...

Ben jij een goede lijkschouwer?

Zo. Het lichaam is nu helemaal binnenstebuiten gehaald. Alle organen liggen keurig in een apart bakje. Nu moeten alle gegevens verwerkt worden. Zou jij dat ook kunnen? Zoek dan de juiste sporen bij de juiste doodsoorzaak.

Zoek de oorzaken bij de volgende sporen:

1. Kleine brandplekken op het lichaam.
2. Sporen van vergif in bloed en lichaam.
3. Water in de longen.
4. Rode plekken in de hals.
5. Een steekwond.
6. Een kogelwond in het hoofd of hart.
7. Een grote bloedprop in de hersenen.

Oorzaken:

a. Een zware klap op het hoofd. **b.** Dood door wurging.
c. Omgebracht met een pistool. **d.** Omgebracht met stroomstoten. **e.** Dood door verdrinking. **f.** Doodgestoken met een scherp voorwerp. **g.** Dood door vergiftiging.

Antwoorden: 1 d, 2 g, 3 e, 4 b, 5 f, 6 c, 7 a. Makkelijk, hè? Je had ze vast allemaal goed.

Daarin heeft dokter Snijgraag wel gelijk. Een patholoog-ana-toom kan meer dan je denkt. Het is namelijk niet alleen be-langrijk dat hij de doodsoorzaak bepaalt. Hij moet ook andere feiten zien te achterhalen. Zo onderzoekt hij een steekwond uitvoerig. Met wat voor mes is het gedaan? En, minstens zo belangrijk, vanuit welke hoek is er gestoken? Want als je dat weet, dan kun je ook achterhalen of de dader links- of rechts-handig was.

Ook het spoor van een kogel zegt veel. Dat verraadt waar de moordenaar heeft gestaan toen hij schoot. Daarbij komen de foto's die op de plaats van het misdrijf genomen zijn weer goed van pas. Als er van heel dichtbij geschoten is, dan zijn er ook kruitsporen te vinden op het lichaam en de kleren van het slachtoffer. Die moet je ook kunnen herkennen. Zo simpel is dat allemaal niet!

Zwijnensteken
Weet je hoe de onderzoekers weten vanuit welke hoek of af-stand er geschoten is? Uit ervaring. Niet dat ze zoveel moord-zaken gezien hebben, natuurlijk. Maar ze hebben wel vaak

geoefend. Door zelf te schieten. Niet op levende mensen, maar op dode dieren. Een varken heeft namelijk een huid die te vergelijken is met die van een mens. Door daar nu vanuit alle kanten op te schieten (met verschillende soorten pistolen en geweren), weten ze precies hoe elke kogelinslag eruitziet. Met messteken gaat dat precies zo. Elk mes en elke soort steek levert zijn eigen sporen op.

C.J. van Ledden Holmes. Eeeh... Hulsebosch

Nederland heeft veel goede rechercheurs gehad die de moeilijkste zaken wisten op te lossen. Maar een van hen is verreweg de beste. Dat is Christiaan Jacobus Van Ledden Hulsebosch, ook wel C.J. genoemd. Ze noemen hem ook wel de Nederlandse Sherlock Holmes.

Hij leefde van 1877 tot 1952 en loste zijn beroemdste moordzaken op toen er nog nauwelijks technische hulpmiddelen waren bij het oplossen van moordzaken.

Hij wist wel het een en ander van scheikundige stoffen en geneeskunde, want hij had een opleiding voor apotheker gehad. Maar verder moest hij alles zelf uitvinden. En dat deed hij als geen ander. C.J kon alles. Hij kon weggewassen bloed weer tevoorschijn toveren, hij kon aan iemands handschrift zien of hij een bepaalde brief had geschreven en hij kon verbrand papier zo behandelen dat het weer leesbaar werd.

Een paar van de spectaculaire moordzaken, die C.J. wist op te lossen:

- Als je liegt of zenuwachtig bent, dan ga je sneller ademhalen. Ook je hart klopt sneller. Dat weten we nu, maar dat wist vroeger bijna niemand. Maar C.J. wel. Dat kwam goed van pas bij het oplossen van een belangrijke zaak. Een vrouw was vermist, maar haar lichaam was nooit gevonden. De politie had wel een vermoeden dat ze vermoord was en in een bepaald bos was begraven. C.J. had een vermoeden wie de moord gepleegd had. Hij liep daarom met de man door het bos. Ondertussen voelde hij de polsslag van de man en luisterde hij naar zijn adem. Hoe sneller de hartslag van de man ging, hoe dichter ze bij de plek kwamen waar de vrouw begraven lag. En zo vond C.J. niet alleen het lichaam, hij zorgde ook meteen dat de dader bekende.

- De politie had de man van een vermoorde vrouw gearresteerd. Maar C.J. zag aan één haar en een paar voetstappen dat hij de dader niet kon zijn. 'De dader is klein, heeft blond haar en is rechtshandig,' zei hij. Dat was de man allemaal niet; maar zijn broer wel. Die werd diezelfde dag nog gearresteerd. Hij bekende meteen.
- Ooit vond de politie het lichaam van een vrouw in een koffer. Alleen de romp was er nog. Geen armen, benen of hoofd. De politie had wel een verdachte, maar ze hadden geen bewijzen tegen hem. Een maand later schakelden ze C.J. in. Die bestudeerde de kleren van de verdachte. Zo behandelde hij een hagelwit schort met een bepaald zelf gebrouwen goedje. Binnen een paar seconden kwamen de bloedsporen weer terug. De man bekende meteen.

Op zoek naar de moordenaar, eh... het slachtoffer

Soms vindt de politie een lijk dat totaal onherkenbaar is. Dan is het vooral belangrijk om uit te vinden wie het slachtoffer is. Dat is nog belangrijker dan de vraag of het om een misdaad gaat. Ook dit is natuurlijk een klus voor de recherche.

In veel gevallen is het een koud kunstje om te achterhalen wie de dode is. Zeker als het om een ongeluk of een natuurlijke dood gaat. In zo'n geval heeft de dode vaak nog een portemonnee of bankpasje op zak waar zijn naam op staat. Maar als het om een moord gaat, dan is het vaak een stuk ingewikkelder. Zeker als de moordenaar er alles aan gedaan heeft om de dode onherkenbaar te maken. Toch moet die dader goed zijn best doen om de identiteit van zijn slachtoffer geheim te houden. Want de politie komt er bijna altijd achter.

Het is dan meestal ook niet de vraag óf de politie ontdekt wie het slachtoffer is, maar wánneer de politie het ontdekt. Dat is in veel gevallen een race tegen de klok. Want hoe langer de recherche in het duister tast, hoe meer tijd de moordenaar heeft om zijn sporen uit te wissen.

V rm st

Als iemand al een tijdje dood is, dan is de kans groot dat iemand deze persoon als vermist heeft opgegeven bij de politie. Sommige mensen denken dat de politie pas op zoek gaat als iemand meer dan 24 uur vermist is. Dat is gelukkig onzin. Hoe meer informatie de politie krijgt, hoe beter. Daarom vragen ze:

- Hoe ziet de vermiste eruit? Beschrijf die persoon zo nauwkeurig mogelijk. Heeft hij opvallende tatoeages, piercings of littekens?
- Zijn er goede foto's te vinden van de persoon? Hoe nieuwer hoe beter.
- Wat droeg de vermiste? Had hij iets bij zich, zoals een rugzak, bril of petje?
- Weet iemand waar de vermiste naartoe ging op het moment dat hij verdween? Zo nee, waar ging deze persoon vaak naartoe?
- Met welk vervoermiddel was de vermiste op weg?

En natuurlijk wil de politie precies weten hoe oud de vermiste is, hoe lang, hoe zwaar en, ook niet onbelangrijk, of het om een man of een vrouw gaat.

De verkeerde begraven...

Van onze verslaggeefster Nellie Nekhaar

TEXAS, VERENIGDE STA-TEN – *Het werk van de politie lijkt soms heel eenvoudig. Maar schijn kan wel eens bedriegen. In een klein plaatsje in Texas viel onlangs het volgende voor.*

Vorige week dinsdag vond de politie een auto langs de weg die totaal in puin lag. De bestuurder van de auto was tegen een boom aan gereden, en was reeds overleden toen de politie ter plaatse kwam. Zijn gezicht was door het ongeluk totaal onherkenbaar geworden, maar omdat de recherche in het dashboardkastje van het wrak het rijbewijs van een 17-jarige jongen vond, wisten ze meteen om wie het ging. Het slachtoffer was al een paar dagen vermist, net als de auto van zijn vader die hij stiekem had meegenomen.

Zijn treurende vader en moeder hebben de jongen afgelopen weekend begraven, maar gistermiddag stond hij ineens weer springlevend bij zijn ouders op de stoep. Hij had de auto van zijn vader inderdaad meegenomen. Maar die werd gestolen, net als zijn rijbewijs. Omdat de jongen bang was dat zijn vader hem zou straffen, durfde hij niet meer naar huis terug te keren. Toen zijn geld op was, moest hij wel. Zijn ouders zijn dolgelukkig dat hun zoon nog leeft, maar hij krijgt toch twee weken huisarrest.

De politie kan weer opnieuw aan de slag. Zij moeten nu uitvinden wie er dan wél is begraven.

Als iemand vermist is, dan komen alle gegevens in een computerbestand terecht. Iedere politieagent kan dat bestand bekijken. Als er dus een dode gevonden wordt, dan kijken ze eerst in dat bestand of er iemand in zit met dezelfde kenmerken. Maar ze moeten er natuurlijk wel zeker van zijn dat ze de juiste hebben. En daar hebben ze zo hun methoden voor:

1. Vingerafdrukken: zo lang het nog kan...

Dacht je dat vingerafdrukken alleen van pas kwamen bij misdadigers? Mooi niet. Ook bij het herkennen van hun slachtoffers zijn ze bijzonder handig. Als er dus iemand vermist wordt, dan wil de politie altijd een voorwerp waar zijn vingerafdrukken goed op staan. Die vingerafdrukken worden gescand en komen in de computer terecht. Als er iemand gevonden wordt, dan hoeven ze alleen de afdrukken maar te vergelijken. Dat kan nog wel eens een probleem zijn.

Bijvoorbeeld als het lijk lang in het water heeft gelegen. Dan zijn de vingertoppen net zo gerimpeld als die van jou als je lang gezwommen hebt. Bij jou komt dat later weer goed, maar bij een dode niet. De patholoog-anatoom moet dan de huid van de vingertop snijden en daar zijn eigen vinger insteken. Zo trekt de huid weer strak genoeg voor een mooie afdruk... De huid blijft soms een paar weken na de dood goed genoeg voor vingerafdrukken. Daarna zijn ze onherkenbaar.

2. Opvallende opvallendheden

Als de vingerafdrukken niet meer zichtbaar zijn, dan zijn er nog wel andere lichaamsdelen die je kunt vergelijken. De oren bijvoorbeeld. Die komen goed van pas als er foto's in het politiearchief staan waarop een van de oren goed zichtbaar is. Maar natuurlijk zijn tatoeages, ringen, een horloge of andere opvallende kenmerken ook bruikbaar.

3. Lang leve de tandarts!

Als de politie een sterk vermoeden heeft wie de gevonden overledene is, dan schiet de tandarts te hulp. Die stuurt de gegevens van de verdwenen persoon naar de recherche. Want ook elk gebit is uniek. En elke tandarts bewaart de gegevens van zijn patiënten keurig in zijn praktijk. Het gebit blijft bovendien het lángst goed van het hele lichaam. Dus zelfs als er van de rest nog maar weinig over is, dan zijn de tanden nog herkenbaar. Is er een dode gevonden? En komt het gebit van het slachtoffer overeen met de gegevens van de tandarts? Dan moet het dezelfde persoon zijn…

Tandafdrukken zijn ook nuttig als de politie een dader moet vinden. Want het komt nog wel eens voor dat de moordenaar zijn slachtoffer bijt. Geloof het of niet: hier hoeft geen tandarts aan te pas te komen. De patholoog-anatoom kan aan een bijtspoor precies zien hoe de tanden van de bijter eruitzien. Het omgekeerde kan trouwens ook. Soms staat het bijtspoor van het slachtoffer in de arm van een verdachte!

4. Aanvullend bewijs

Vingerafdrukken en tanden kunnen bewijzen dat het gevonden slachtoffer inderdaad de vermiste persoon is. Maar er zijn niet altijd vingerafdrukken of tandartsgegevens van een vermiste te achterhalen. Bovendien kan het lichaam al zo vergaan zijn, dat zelfs het gebit onherkenbaar is. In zo'n geval moet de politie op zoek gaan naar andere bewijzen. Hoe oud was het slachtoffer ongeveer? Was het een man of vrouw? Was hij of zij dik of dun? Je weet dan nog niet zeker of het de juiste persoon is. Maar hoe beter de gegevens kloppen, des te groter de kans dat het hem is.

Weet jij hoe zij dat weten? Doe de quiz

Goede patholoog-anatomen zien aan een paar botten al heel veel. Maar hoe zien ze dat allemaal? Doe de weet-jij-hoe-zij-dat-weten-quiz.

1) Hoe kun je aan een skelet zien dat het gaat om een oud iemand?
a. Er is nog net één grijze haar gevonden op het half vergane lichaam.
b. De gewrichten bij de knieën en ellebogen zijn al aardig versleten.
c. Dat staat op het serienummer van de botten.

53

2) Hoe kun je aan een skelet zien dat het van een vrouw is?

a. Het bekken van vrouwen is breder en op de schedel is het voorhoofd rechter.

b. Mannen hebben veel gespierdere botten.

c. Ook al is dit slachtoffer al maanden dood, ze kakelt nog steeds de oren van je kop.

3) Hoe zie je aan een skelet dat de overledene nogal stevig is geweest?

a. Aan de botten kun je zien dat hij veel zwaar werk heeft verricht. Wie veel zwaar werk verricht, wordt vanzelf stevig.

b. De botten zijn een stuk zwaarder en breder dan normaal.

c. Het skelet heeft de vorm van een bodybuilder.

4) Kun je aan iemands botten zien dat hij linkshandig is geweest?

a. Aan de botten kun je dat niet zien. Wel aan de spieren. De linkerarm van een linkshandige heeft meer spieren dan de rechterarm.

b. Je kunt het wel degelijk aan de botten zien. Als je veel met links schrijft, gaan de botten van de linkerhand vanzelf een beetje anders staan.

c. Ja, de botjes van de linkerduim en wijsvinger zijn precies versleten op de plek waar je normaal een pen vasthoudt.

5) Hoe zie je aan een skelet dat het van een lerares is geweest?

a. Je kunt het vergelijken met dat van andere leraressen. Als het er precies op lijkt, is het zeker van een lerares.

b. Dat kun je helemaal niet zien.

c. De schedel is iets kleiner dan normaal. Iedereen weet dat leraressen minder hersens hebben.

Antwoorden: **1** b, **2** a, **3** a, **4** a, **5** b. Enne… je had toch nergens **c** als antwoord, hè?

Kleien voor gevorderden

Soms is er niet veel meer over dan een schedel, een paar botten en – heel misschien – nog een klein plukje haar. Te weinig om het gezicht te kunnen herkennen, zou je denken. Maar dat valt gelukkig mee. Want als je iemands schedel hebt, dan kun je achterhalen hoe zijn gezicht eruit heeft gezien. Je hoeft er alleen nog maar wat spieren, vlees en huid overheen te kleien. De methode werkt verbazingwekkend goed. Er zijn al veel belangrijke moordzaken mee opgelost.

Het werkt als volgt:

- Eerst maken ze de schedel precies na. Zo hoeven ze niet met het echte skelet te rotzooien.
- Als er stukken uit de schedel missen, dan vullen ze die aan. Meestal is dat het botje in de neus, maar het kan ook een stuk bot op een andere plek zijn.
- Nu worden de ogen in de schedel gezet. Ook andere holle plekken, zoals de wangen, krijgen een klodder klei als vulling.

- Dan wordt het lastiger. De 'kunstenaar' van de politie maakt alle spieren die iemand in zijn gezicht heeft heel precies na. Het gezicht krijgt nu ook lippen.
- Als de spieren erop zitten, dan komt daar een 'huidlaagje' overheen. Bij ogen komen de oogleden. Het gezicht is nu bijna af.
- Vervolgens strijkt de artiest alle barstjes en bobbeltjes uit het gezicht.
- Het gezicht is klaar. Soms verven ze de huidskleur en ogen, zodat het nog echter lijkt. Als dat gedaan is, dan krijgt de pop een pruik.

ECHT GEBEURD!

Het meisje van Yde

Dankzij dit soort boetseerwerk kun je tegenwoordig nog precies zien hoe een meisje van 2000 jaar geleden eruitzag. In 1897 vonden twee veenarbeiders een dood meisje in de buurt van het Drentse dorpje Yde. Doordat ze eeuwenlang in het veen had gelegen, was haar lichaam nog bijna helemaal intact. In veen komt namelijk vrijwel geen zuurstof voor. En als er geen zuurstof is, dan zijn er ook geen insecten en andere lijkenetende beestjes.

In 1993 (toen het lichaam inmiddels al bijna vergaan was) hebben ze op de universiteit van Manchester haar gezicht nagemaakt met klei. Er zat nog een plukje haar op de schedel van het meisje, dus de wetenschappers konden haar zelfs een pruik met de juiste haarkleur geven. Tegenwoordig staat haar nagemaakte gezicht in het Drents Museum in Assen.

Kleien op de computer

Geen klei op zak? Dat is geen probleem. Er zijn ook computerprogramma's waarmee je iemands gezicht na kunt maken. Eerst scant de computer de schedel. Vervolgens doet de computer hetzelfde als de kunstenaar: laagje voor laagje vult het programma het gezicht aan. Er is met deze methode nog een voordeel, want je kunt meerdere gezichten tevoorschijn toveren: een met blauwe ogen, een met bruine ogen, met blond haar, donker haar of zelfs helemaal kaal.

De computer kan overigens nog meer. Hij kan voorspellen hoe iemand eruit gaat zien als hij ouder wordt. Dat komt vooral van pas bij mensen die lang vermist zijn. Of dat nu om misdadigers of om mogelijke slachtoffers gaat. De computer laat zien waar mensen rimpels krijgen en hoe ze eruitzien als hun haar wat grijzer is. Bij mannen kan hij zelfs aangeven of ze kaal worden en waar die kale plekken het eerst zullen verschijnen…

Vermommen helpt niet altijd…

Misdadigers zijn natuurlijk ook niet gek. Als een misdadiger weet dat hij gezocht wordt, dan zal hij nooit herkenbaar de straat op gaan. Hij zet misschien een bril of pruik op of plakt een valse snor of baard op zijn gezicht. Misschien doet hij zelfs wel valse contactlenzen in, zodat zijn blauwe ogen veranderen in bruine ogen. Zelfs zijn eigen moeder zou hem niet meer herkennen. Maar de computer wel. Die kijkt naar totaal andere dingen. Die meet bijvoorbeeld hoe ver de ogen van elkaar af staan, hoe breed de mond is en hoe groot de jukbeenderen onder de ogen zijn.

De nieuwe vriend van de politie: DNA

In de vorige hoofdstukken staat te lezen dat de politie op zoek gaat naar huidschilfertjes, haren en zelfs wat spuug aan het uiteinde van een sigaret. Is dat al voldoende om te kunnen zien dat een verdachte op die plek is geweest? Ja dus. Dankzij een techniek die nog maar enkele tientallen jaren bestaat: opsporing met behulp van DNA-materiaal.

Wat is DNA?
DNA is de afkorting van DesoxyriboNucleic Acid (in het Nederlands desoxyribonucleïnezuur). Het is een dimeer macromolecuul dat bij eukaryoten en prokaryoten de drager is van genetische informatie. De chromosomen in het DNA zou je kunnen zien als transitorische cytoblasten...

Eh... even opnieuw dan maar:
Ooit begon je als twee cellen. Een cel van je moeder en een cel van je vader. Die cellen gingen zich delen. Eerst werden het er vier. Toen acht, zestien, tweeëndertig, vierenzestig... enzovoort, enzovoort. Tot de honderden miljarden cellen waar je

nu uit bent opgebouwd. Huidcellen, botcellen, bloedcellen en ga zo maar door. Die cellen zijn de bouwstenen waaruit je lichaam is opgebouwd.

Alles. Want hoe weet een cel nou dat hij een bouwsteen moet worden van een neus of van een been? Hoe weet een cel dat hij deel moet uitmaken van een bruin oog, en niet van een blauw oog?

Klopt. Het komt door het DNA. DNA is een molecuul, een klein bouwsteentje in je lichaam. Nu zit je lichaam helemaal vol met moleculen, maar het DNA is een stuk belangrijker dan de meeste andere. Want het DNA is een soort instructieboekje waar precies in staat wat een cel moet doen. Elke cel in je lichaam heeft zo'n DNA-molecuul.

Je DNA zorgt ervoor dat jij twee benen, twee ogen en een neus hebt en niet vier poten en een staart. Het zorgt ervoor dat je een hart en longen hebt, dat je nagels groeien en dat je tanden hebt.

Je DNA bepaalt zelfs hoe je eruitziet. Ieder mens ziet er anders uit, dus ieder mens heeft ander DNA. De één heeft grote-sterke-man-met-blond-haar-en-bruine-ogen-DNA, de ander heeft beeldschoon-meisje-met-donker-haar-en-groene-ogen-DNA.

En het maakt niet uit in wat voor cel zo'n molecuul zit: alle DNA-moleculen in je lichaam zijn precies hetzelfde. Of ze nu in je bloedcellen zitten, in je botten of in je tong.

Niet groot, wel lang. Een DNA-molecuul zit in een cel. En een cel is al zo klein dat je hem alleen onder een microscoop kunt zien. Een DNA-molecuul is dus nog duizenden keren kleiner. Maar… zo'n molecuul heeft de vorm van een spiraal. En als je die spiraal helemaal uitrolt, dan is die twee meter lang!

Kun je je er niets bij voorstellen? Dan ben je niet de enige. Maar om dit hoofdstuk te begrijpen hoeft dat ook niet. Je moet alleen een paar dingen weten.

Wat je moet weten:

Je lichaam is opgebouwd uit cellen. In elke cel zit een DNA-molecuul.

Het DNA-molecuul bevat belangrijke informatie over je lichaam. Het bepaalt bijvoorbeeld of je een mens of een koe bent. Het bepaalt of je een grote of een kleine neus hebt. En het bepaalt of je blond of bruin haar hebt.

Ieder mens is anders, dus ieder mens heeft ander DNA.

Wat je direct weer mag vergeten:

Elk DNA-molecuul is opgebouwd uit vier soorten stofjes: Adenine (A), Cytosine (C), Guanine (G) en Thymine (T).

Die namen mag je dus meteen weer vergeten. Maar elk DNA-molecuul is dus eigenlijk een twee meter lange spiraal met A's, C's, G's en T's. En omdat ieder mens andere DNA-moleculen heeft, is die reeks bij ieder mens anders.

Een stukje DNA-spiraal van jou is bijvoorbeeld TATAGCCATG. Precies hetzelfde stukje DNA bij de buurvrouw kan GATACGCTAT zijn.

En misschien heeft de koningin daar wel CACAGGTTAA. Je weet maar nooit.

Heb jij het voorgaande goed begrepen? Doe de DNA-test:

Als je de stukjes hiervoor over DNA goed hebt gelezen, dan kom je een heel eind in de DNA-test. Je hoeft ze niet allemaal goed te hebben, want er zitten behoorlijk lastige vragen tussen. Heb je ze toch allemaal goed? Dan moet je je maar snel bij de politie aanmelden!

MOORD QUIZ

1) Wat is DNA?

a. DNA is een vogel die de liedjes van Jan Smit zingt.

b. DNA is zo'n plastic dingetje dat om het einde van je schoenveter zit.

c. DNA is een bouwsteentje in je lichaam waar allemaal belangrijke informatie voor je cellen in zit.

d. DNA is een cel in je lichaam.

2) Hoe zie je het verschil tussen een DNA-molecuul uit je hersenen en een DNA-molecuul uit je linkerbil?

a. Alle DNA-moleculen in je lichaam zijn precies hetzelfde. Je ziet dus geen verschil.

b. DNA-moleculen uit je hersenen lossen een kruiswoord-puzzel een stuk sneller op.

c. Er is wel verschil tussen hersen-DNA en linkerbil-DNA, maar dat kun je niet zien, omdat een DNA-molecuul zo dun is.

d. Linkerbil-DNA is platter dan hersen-DNA, omdat je er de hele dag op zit.

3) Zou jouw DNA op dat van je ouders lijken?

a. Je gaat uiteindelijk op je ouders lijken, dus je DNA moet ook op dat van je ouders lijken.

b. Het lijkt wel op het DNA van je vader, maar niet op dat van je moeder.

c. Het lijkt wel op het DNA van je moeder, maar niet op dat van je vader.

d. Als je DNA op dat van je familie lijkt, dan is dat toeval.

4) Eeneiige tweelingen zien er precies hetzelfde uit. Zouden die dan toch hetzelfde DNA hebben?

a. Héél misschien. Maar die kans is klein.

b. Als ze echt eeneiige tweelingen zijn, dan moet hun DNA ook precies hetzelfde zijn.

c. Nee. Absoluut niet. Ieder mens heeft ander DNA.

d. Alleen als ze broer en zus zijn.

5) Waar denk je dat de politie sporen van DNA vindt?

a. Bij de betere supermarkt tussen de wasmiddelen.

b. DNA zit in elke cel van je lichaam. Het zit dus in het hele lichaam, maar ook in bloed(vlekken), haren, huidschilfers, speeksel, snot en zelfs poep.

c. Alleen op vingerafdrukken.

d. Alleen heel diep in iemands lichaam.

6) Waar zal de politie niet zo snel naar DNA-sporen zoeken?

a. Op telefoons en sigarettenpeuken.

b. In hoeden, petten en jassen.

c. Op het slachtoffer.

d. In de portemonnee van de verdachte.

7) Waarom is DNA zo handig voor de politie, denk je?

a. Als je het DNA van een verdachte in de buurt van de plek van de misdaad vindt, dan is de kans groot dat hij daar geweest is.

b. DNA is uniek, net zoals vingerafdrukken. Als je het DNA van een slachtoffer vindt en je hebt DNA-materiaal van een vermiste, dan kun je dat met elkaar vergelijken. Als het precies hetzelfde is, dan weet je 100 procent zeker wie het slachtoffer is.

c. DNA zit in haren, stukjes huid en speeksel. Een misdadiger laat daarom bijna altijd wel DNA-materiaal achter.

d. a, b en c zijn alle drie waar.

Vrijgesproken door DNA...

In 1984 kwam een wetenschapper, Alec Jeffreys, voor het eerst op het idee om DNA-materiaal als bewijs te gebruiken in een rechtszaak. Het ging om de moord op twee Engelse vrouwen. De politie had ontdekt dat de moorden door precies dezelfde dader gepleegd moesten zijn. Ze arresteerden de 17-jarige Richard Buckland. De jongen werd heel streng ondervraagd. Richard bekende daarom dat hij de tweede moord wel had gepleegd, maar de eerste niet.

De politie stond voor een raadsel. Daarom haalden ze de DNA-kenner Jeffreys erbij. Hij moest bewijzen dat Richard

allebei de moorden had gepleegd. Maar Jeffreys zadelde de
politie met een nog groter probleem op. Hij bewees dat Richard geen enkele moord had
gepleegd. Richard was zo bang
voor de politie dat hij ze maar
had verteld dat hij de moorde-

naar was. Hij had niets met de moord te maken, dus hij werd
weer vrijgelaten.

...en veroordeeld door DNA

De politie kon dus weer opnieuw aan de slag. Ze bedachten
daarom een list. Ze vroegen aan alle mannen in de buurt of ze
hun DNA-materiaal aan de politie wilden geven. Ze gingen er
daarbij van uit dat degene die zijn DNA-materiaal níét wilde
geven verdacht was. De eerste weken gebeurde er niets. De
politie verzamelde 5000 DNA-sporen van mannen uit de
buurt. Maar op een gegeven moment hoorden ze iemand op-
scheppen dat hij de politie had opgelicht. Zijn vriend, Colin
Pitchfork, had geen zin om DNA af te staan. Daarom had hij
het maar voor Colin gedaan. De politie wilde meteen alles van

Colin Pitchfork weten. Ze arresteerden hem en testten zijn DNA. Colin
bleek inderdaad de dader van
beide moorden. Zo kreeg een onschuldige in de allereerste DNA-
zaak vrijspraak en werd een schuldige gepakt. Nog duizenden zouden volgen!

Een file van misdaden

De politie onderzoekt de vingerafdrukken van misdadigers al vele tientallen jaren. Dus elke slimme dief weet dat hij handschoenen moet dragen. Zo weten dieven ook dat ze voorzichtig moeten zijn met hun schoenafdrukken. Ook die techniek is al heel lang bekend bij de politie en de schurken. Maar de kennis van DNA bestaat nog maar zo'n dertig jaar. Veel misdadigers hadden nooit gedacht dat ze door zoiets onbenulligs als een sigarettenpeuk of een paar haren veroordeeld konden worden. Maar het ís wel zo.

De experts bij de politie kregen het dus ineens heel erg druk. Ze moesten duizenden zaken opnieuw onderzoeken. Want ineens konden ze de moeilijkste moordzaken oplossen. Zo kwamen onschuldigen vrij en verdwenen misdadigers achter slot en grendel. Maar door die drukte ontstond er wel een probleem: de DNA-experts moesten ineens zoveel moordzaken oplossen dat ze veel meer werk hadden dan ze aankonden. Nu, dertig jaar later, is er nog steeds een file van misdaden die ze moeten oplossen…

DNA-weetjes

- DNA gaat vaak langer mee dan een vingerafdruk. Van een Egyptische mummie zal je geen vingerafdruk meer vinden, maar zijn DNA is nog perfect bruikbaar!

HÉ! WAT HEB IK EIGENLIJK MISDAAN?

- Dat je met een DNA-test kunt zien of mensen familie van elkaar zijn, is soms erg handig. Zo was er een dame die beweerde dat ze afstamde van een rijke Russische tsarenfamilie. Ze hoopte dat ze zo recht kreeg op de enorme erfenis. Dankzij DNA kon men bewijzen dat ze geen familie was.

- Op de Filippijnen werd ooit een man gearresteerd omdat ze dachten dat hij de dader was van een gruwelijke moord. Uit onderzoek bleek ook dat hij de dader was. Maar ze ontdekten ook dat er nóg een dader was, met DNA dat heel erg op dat van de moordenaar leek. De politie arresteerde daarom zijn broer. Die bekende meteen dat hij medeplichtig was.

- Alle levende wezens hebben DNA. Ook bomen en planten en dieren. Ons DNA lijkt niet veel op dat van een boom of mug. Maar wist je dat ons DNA wel voor 96 procent hetzelfde is als dat van een chimpansee?

- Onderzoek naar bloedsporen is heel lastig. Als er twee mensen vechten en de bloedsporen op de grond met elkaar mengen, dan lijkt het voor de politie alsof er drie personen gevochten hebben. Ze vinden dan namelijk de schone bloeddruppels van de twee vechtersbazen, terwijl hun gemengde bloed van een andere persoon lijkt. Een DNA-spoor kan nooit met een ander spoor mengen. Vind je drie soorten DNA, dan komt dat van drie mensen.
- DNA lijkt een wondermiddel voor de politie – en dat is het ook. Maar we moeten het ook weer niet overdrijven. Sommige DNA-sporen gaan verloren als ze lang in de zon hebben gelegen of als er vocht bij is gekomen. In een bos is dat vaak het geval. Bovendien kan het soms heel lastig zijn om geschikt DNA-materiaal te vinden. En op sommige plekken, zoals in een café, vind je sporen van tientallen mensen.
- De politie heeft een speciaal middeltje waarmee ze DNA-sporen zichtbaar kunnen maken: luminol. Als ze het ergens op sprayen, dan lichten de plekken waar DNA zit op in het donker. Het werkt niet altijd, maar bijvoorbeeld wel met plekken waar ooit bloed gezeten heeft.

- Omdat niet elk DNA even goed bewaard is gebleven, komt het voor dat ze in het laboratorium niet met zekerheid kunnen bewijzen van wie de sporen zijn. Toch komt het onderzoek van pas. Want ze kunnen de kans berekenen dat de sporen van de verdachte zijn. Is die kans kleiner dan 10 procent, dan zullen ze zich eerder op een andere verdachte richten dan als die kans 90 procent is.
- Het ís mogelijk dat twee verschillende mensen bij een test hetzelfde DNA lijken te hebben (ze hebben dat in werkelijkheid nooit). Maar die kans is heel klein: als je 200.000.000.000 onderzoeken doet, dan komt het misschien één keer voor.

Perfecte DNA-plekken

Als de recherche op zoek gaat naar DNA-sporen, dan zijn er altijd plekken waar ze het eerst kijken. Niet alleen vind je daar de meeste sporen, je vindt er ook de béste sporen:

- Kogels, messen en andere moordwapens – Als het slachtoffer verdwenen is, dan vinden ze hier zijn DNA. Maar een mes of bijl kan ook DNA van de dader bevatten.

ALTIJD DIE VERREKTE KAUWGOM!

- Tandenstokers, sigaretten en rietjes – Alles wat je in je mond hebt gestoken, zit onder het DNA.
- Kauwgom – Alleen die waar op gekauwd is natuurlijk.

- Onder de nagels van een slachtoffer – Als je iemand krabt, dan komt er altijd DNA van de huid los.
- Zakdoekjes en wattenstaafjes – Jahaa, ook in snot en oorsmeer zit DNA!
- Vieze lakens en matrassen, vuile was – Een vies werkje, maar het loont…
- Helmen, petjes en hoeden – Overal waar haren en huidschilfers kunnen zitten.
- Postzegels en enveloppen van brieven die verstuurd zijn – Waar gelikt is, is DNA.

Waarom DNA nooit het enige bewijs mag zijn

De politie vindt een lijk. Op dat lijk vinden ze haren die niet van het slachtoffer komen. Die haren liggen óp de wond. Ze zijn daar dus terechtgekomen nádat de persoon vermoord is. Verder is er geen enkel ander DNA te vinden. Uit onderzoek blijkt dat het haar van een vriend van het slachtoffer komt.

Zaak opgelost, toch? Want dit is toch genoeg materiaal om die persoon voor moord op te sluiten? Hoe kunnen die haren daar anders terecht zijn gekomen? Nou? Nou?

Allereerst: die vriend is zeker een verdachte. Hij moet ondervraagd worden.

Máár… je weet nog niet zeker dat hij ook schuldig is aan de moord. Daarvoor heb je nog meer bewijs nodig. Let maar eens op het volgende voorbeeld:

Stel. Je wilt de buurvrouw die links van je woont vermoorden. En je wilt ook meteen af van de buurvrouw rechts van je. (Kun je eindelijk midden in de nacht rustig met je drumstel oefenen.) Dan kun je met DNA een slimme truc doen.

- Je verzamelt dan eerst allerlei haren, huidschilfers en ander DNA-materiaal van je rechterbuurvrouw.

- Vervolgens vermoord je je linkerbuurvrouw, terwijl je in de verse bloedsporen allerlei DNA-materiaal van de rechterbuurvrouw strooit. Zelf draag je tijdens de moord een speciaal pak, waardoor er nooit DNA-materiaal van jou op de plek van de misdaad terecht kan komen.

Wat gebeurt er dan?

De politie vindt het DNA-materiaal van de rechterbuurvrouw op de plek van de moord. De rechterbuurvrouw is verdacht. Maar zal ze ook achter de tralies belanden? Onschuldig? Gelukkig niet. De politie moet altijd meer bewijs hebben. DNA-materiaal geldt als belangrijk aanvullend bewijs. Maar alleen DNA is nooit voldoende om iemand op te sluiten. Juist om dit soort trucjes van daders tegen te gaan.

Denken als een dader

Sherlock Holmes kreeg eens de volgende brief onder ogen:

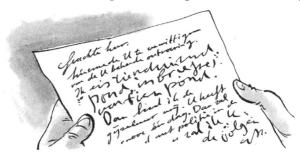

Hij bestudeert hem, en laat hem vervolgens aan zijn assistent Watson zien. 'Wat denk jij ervan, Watson?' wil Holmes weten.

Watson bekijkt de brief aandachtig. 'Het is een vreemde brief,' vindt hij. 'De ene keer is hij heel netjes geschreven, de andere keer ziet het er slordig uit.'

'Inderdaad,' antwoordt Holmes. 'En soms ziet het er zelfs extreem slordig uit. Maar wat wil dat zeggen?'

'Hm,' peinst Watson. 'De dader wil doen alsof ze met zijn drieën zijn?'

'Nee, Watson,' antwoordt Holmes. 'Denk nog eens na.'

Watson krabt zich op zijn hoofd. Dan juicht hij ineens: 'Ik weet het! De brief is in de trein geschreven! Alle nette stukken zijn geschreven toen de trein stilstond, de slordige stukken toen hij reed en de heel slordige stukken op een stuk met slechte rails.'

'Uitstekend, Watson!' complimenteert Holmes zijn trouwe assistent. 'En daarom weten we precies welke trein de ontvoerder heeft genomen. Kijk maar.'

Holmes: 'Aan de stempel op de brief is te zien dat de brief in Darrowby is gepost. De ontvoerder heeft dus de trein genomen vanuit Holford, via Winsington, en vervolgens via Lent en Newburgh, waar het spoor heel slecht is, naar Darrowby. Ik denk dat het slachtoffer in Holford gevangen wordt gehouden.'

Alle stappen nagaan

Is hij geniaal of is hij geniaal, die Sherlock Holmes? Maar hij doet wat elke goede rechercheur moet doen: logisch nadenken en stap voor stap elke gang van de dader nagaan… De politie noemt dat 'reconstructie'.

Een simpel voorbeeld. Een verdachte van een moord zegt dat hij dinsdag om vijf uur 's middags in Arnhem was en dat hij om kwart voor zes thuis in Amsterdam was. De politie kijkt dan of dit verhaal klopt. Ze onderzoeken dan:
• of het mogelijk is om in drie kwartier van Arnhem naar Amsterdam te rijden;

- hoe hard je dan moet rijden;
- of de auto van de verdachte wel zo hard kan rijden;
- of er flitspalen langs de weg staan die foto's hebben gemaakt van auto's die te hard reden;
- of er die dag files stonden op het traject tussen Arnhem en Amsterdam.

In dit geval zal niemand het verhaal van de verdachte geloven. De afstand tussen Arnhem en Amsterdam is ongeveer honderd kilometer. Bovendien is de snelweg die tussen deze twee plaatsen loopt elke werkdag rond deze tijd één grote file. Dus zelfs als de verdachte zegt dat hij 180 kilometer per uur reed – hij krijgt liever een snelheidsbekeuring dan dat hij de cel indraait wegens moord – zal de politie hem niet geloven.

De w's die naar de oplossing leiden

Stel: de politie vindt een dode man. Ze weten wie hij is, maar verder weten ze niets. Ze weten niet eens of hij vermoord is of niet. Door de juiste vragen te stellen kunnen ze er al snel achter komen of hij gedood is of niet. En misschien leiden andere vragen wel naar de eventuele moordenaar.

- De belangrijkste vraag: wie?

In de meeste gevallen weet men al snel wie het slachtoffer is. De vraag 'wie?' gaat dus over de dader. Maar is er wel een dader? Om dat te weten te komen, moet je eerst andere vragen stellen.

- De eerste vraag: op welke wijze?

Bij verwurging, messteken of kogelwonden is meteen duidelijk wat de doodsoorzaak is. Bij vergif vaak ook. Maar soms kunnen de mensen in het laboratorium pas met moeite de doodsoorzaak achterhalen. Is het een ongeluk of een natuurlijke dood? Dan zijn de verdere vragen minder belangrijk.

Maar vergeet niet dat veel moordenaars er alles aan doen om hun moord op een ongeluk te laten lijken. Je moet dus behoorlijk zeker zijn van je zaak. Zolang dat nog niet het geval is, zijn de volgende vragen juist wél belangrijk.

• De volgende vragen: waar en wanneer?

Als je nog niet weet of het slachtoffer vermoord is of niet, dan bieden deze vragen uitkomst. Waar wordt het lichaam gevonden? En wanneer is hij gestorven? Stel bijvoorbeeld dat hij om drie uur 's nachts langs een sloot is overleden, op een plek waar hij nooit kwam, dan is dat op z'n minst verdacht. Wat had het slachtoffer daar te doen? Dat moet wel op een vreemde manier gebeurd zijn. En bij de woorden 'vreemde manier' gaan bij een rechercheur meteen alle alarmbellen rinkelen.

Is het slachtoffer om drie uur 's nachts in zijn bed overleden, dan is de kans juist groot dat hij op een natuurlijke manier is gestorven. Maar het laboratorium moet het bewijs leveren.

- Een heel belangrijke vraag: waarom?

Goed. Je weet dat iemand vermoord is. Je weet ook waar en wanneer en op welke wijze. Dan is de volgende belangrijke vraag. 'Waarom?' Die vraag heeft vaak behoorlijk wat onderzoek nodig. Was het slachtoffer rijk? Had het slachtoffer een portemonnee bij zich en is hij misschien beroofd? Was het slachtoffer zelf een misdadiger? (Misdadigers vermoorden elkaar namelijk graag en vaak.) Had het slachtoffer veel vijanden? Had het slachtoffer misschien net een nieuwe vriendin en was de oude vriendin jaloers?

In politietaal hebben ze het over een 'motief': de reden voor de moord. Want elke moord heeft een motief.

WEET JE WEETJE

Op zoek naar het motief

Een slimme rechercheur onderzoekt meteen wie er belang bij heeft dat een bepaalde persoon overleden is. Vaak zijn het meerdere mensen. Al die mensen zijn meteen verdacht. De meest voorkomende motieven voor moord zijn:

- Geld: één op de drie moorden vindt plaats tijdens een roofoverval. Als het slachtoffer het gezicht van de overvaller gezien heeft, dan kan hij die misschien herkennen. Dat wil de misdadiger niet, dus daarom vermoordt hij zijn slachtoffer.
- Geld (2): het is regelmatig voorgekomen dat mensen een familielid ombrachten om een flinke erfenis op te strijken of om geld van de verzekering te ontvangen.
- Wraak: niet alleen de moordenaars zijn slechteriken. Slachtoffers kunnen er soms ook wat van. Veel moorden

worden dan ook gepleegd omdat sommige mensen zo kwaad op iemand zijn dat ze die letterlijk de hersens inslaan.

- Jaloezie: vooral in de liefde. Van elke tien moorden wordt er één gepleegd door iemand die in de steek is gelaten en jaloers is. Denk dus goed na voordat je het met iemand uitmaakt...

- Grote problemen in huis: familieleden kunnen elkaar soms haten. In een enkel geval is dat zo erg dat ze elkaar daarom vermoorden.

- Uit de hand gelopen ruzies: niet elke moord wordt ruim van tevoren bedacht en gepland. Soms loopt een ruzie zo uit de hand dat er een vechtpartij ontstaat met dodelijke afloop. Het is ook mogelijk dat je iemand per ongeluk doodt. Bijvoorbeeld door een ander op de verkeerde plek op het hoofd te slaan. Dat kun je dus beter maar nooit doen.

Zoeken naar overeenkomsten

Kenners zien direct of een schilderij van Van Gogh, Rembrandt of Picasso is. Elke schilder heeft zijn eigen stijl. Net als elke schrijver, voetballer of... misdadiger. Iemand die zijn slachtoffers altijd wurgt, zal bij zijn volgende moord niet snel vergif gebruiken. En een messentrekker zal niet ineens een pistool kopen. Elke moordenaar heeft zo zijn eigen specialiteit en werkwijze.

De politie kijkt daarom altijd naar overeenkomsten met andere moorden. Zo stellen ze allerlei vragen waarmee ze een mogelijk verband kunnen ontdekken:

- Waar is de moord gepleegd? Binnen? Buiten? In een park? Welke moorden zijn nog meer op zo'n plaats gepleegd?
- Op welke manier is de moord gepleegd? Met een mes? Pistool? Verwurging? Welke moorden zijn er nog meer zo gepleegd?
- Wat voor soort slachtoffer is het? Een man? Een vrouw? Oud of jong? Mooi of lelijk? Welke andere vermoorde personen lijken er op dit slachtoffer?
- Nam de moordenaar veel risico? Of ging hij juist voorzichtig te werk?
- Heeft hij zijn daad goed gepland? Of kun je zien dat hij gehaast te werk is gegaan?

Stel, je ziet dat er meerdere mannen in een park zijn gewurgd, terwijl de dader telkens veel risico nam en gehaast te werk ging. Dan weet je bijna zeker dat alle moorden gepleegd zijn door dezelfde persoon. Dat geldt natuurlijk niet alleen voor moorden, maar ook voor inbraken en andere soorten misdrijven.

Van veel naar weinig

Als een rechercheur van een moordzaak hoort, weet hij nog niets over de dader(s).

Ze kunnen van alles zijn: man, vrouw, groot, klein, dom, slim, jong, oud, sterk, zwak, alleen, met meerderen, bekende van het slachtoffer, onbekende van het slachtoffer, ervaren misdadiger, beginneling, pietje precies, sloddervos en ga zo maar door.

Door goed onderzoek te verrichten kan de inspecteur beginnen met strepen.

Er zijn maar twee verschillende voetsporen. Van de dader en van het slachtoffer. Bovendien blijkt uit de voetsporen dat het slachtoffer op de vlucht is geslagen toen hij de moordenaar in de verte zag. Dat betekent dat het slachtoffer de moordenaar herkende. Dat zorgt voor de eerste strepen:

man, vrouw, groot, klein, dom, slim, jong, oud, alleen, ~~met meerderen~~, sterk, zwak, bekende van het slachtoffer, ~~onbekende van het slachtoffer~~, ervaren misdadiger, beginneling, pietje precies, sloddervos.

81

De dader heeft een gevecht gewonnen van een grote sterke man. De politie kan dus weer verder strepen:

man, ~~vrouw~~, groot, ~~klein~~, dom, slim, jong, oud, alleen, ~~met meerderen~~, sterk, ~~zwak~~, bekende van het slachtoffer, ~~onbekende van het slachtoffer~~, ervaren misdadiger, beginneling, pietje precies, sloddervos.

Overal zijn er sporen en vingerafdrukken te vinden van de dader. Dat levert weer een paar strepen op:

man, ~~vrouw~~, groot, ~~klein~~, dom, ~~slim~~, jong, oud, alleen, ~~met meerderen~~, sterk, zwak, bekende van het slachtoffer, ~~onbekende van het slachtoffer~~, ~~ervaren misdadiger~~, beginneling, ~~pietje precies~~, sloddervos.

En zo weet de rechercheur al snel behoorlijk wat over de moordenaar.

HET MOET EEN GROTE
STEVIGE JONGE MAN Z'JN,
NIET AL TE SLIM, MAAR
WEL SLORDIG.
H'J KENT HET SLACHTOFFER,
HEEFT WEINIG ERVARING
MET MOORDEN EN
HANDELDE IN Z'JN EENTJE.

Nu kan de rechercheur een beeld van de dader vormen: een zogenaamd **daderprofiel**. Hoe meer hij te weten komt, hoe meer hij aan dit profiel kan toevoegen. Met een beetje geluk komt hij zo uiteindelijk bij de echte dader terecht.

ECHT GEBEURD!

Wat denkt de dader?

In 2002 werd de Amerikaanse stad Washington opgeschrikt door een serie moorden. Elke moord gebeurde op dezelfde manier: door een sluipschutter vanuit een busje. De schutter schoot van een grote afstand onschuldige mensen neer en vluchtte daarna snel weg. De Amerikaanse rechercheurs dachten dat de dader waanzinnig intelligent was. Hij kon volgens hen misschien wel jaren zijn gang gaan zonder gepakt te worden. De Nederlandse misdaadexpert Peter R. de Vries zei juist het omgekeerde. Volgens hem zou de sluipschutter snel gepakt worden.

En wat gebeurde? Peter R. de Vries kreeg gelijk. Waarom? Omdat hij de dader beter doorhad. Hij zag dat de moordenaar steeds meer risico nam. En omdat de politie steeds meer mensen op de zaak zette, móést de dader wel snel gepakt worden.

Uiteindelijk bleken het zelfs twee daders te zijn.

In de huid kruipen van de dader

Er zijn rechercheurs die helemaal in de huid van de dader willen kruipen. Nou ja, figuurlijk tenminste. Deze rechercheurs heten forensisch psychologen ('forensisch' betekent dat het met misdaad te maken heeft). Deze psychologen verplaatsen zich in de gedachtegang van een moordenaar door allerlei vragen te stellen. Wat zou de moordenaar gedacht hebben? Waarom heeft hij de moord gepleegd? Waarom heeft hij de moord op deze manier gepleegd? Waarom nou juist dit slachtoffer? En waarom hier?

Zo proberen ze tientallen van dit soort vragen te beantwoorden om te achterhalen wat voor soort mens de dader is. En als de dader een briefje achterlaat, dan bestuderen ze alles, maar dan ook alles van de tekst: het handschrift, het taalgebruik en de boodschap. Ook dat zegt weer iets over de dader. Hoe meer de forensisch psychologen te weten komen, hoe beter de recherche weet naar wat voor verdachte ze moeten zoeken. Deze techniek werkt niet alleen bij moorden, maar ook bij overvallen, ontvoeringen, brandstichtingen en terrorisme.
Soms levert dat verrassende resultaten op. Dan klopt álles wat de psychologen van tevoren hebben voorspeld. Maar in de meeste gevallen heeft de politie er niet veel aan. In Nederland en België werken ze dan ook zelden op deze manier. Het kost veel te veel werk en levert te weinig op.

ECHT GEBEURD!

Geen goed begin

In 1987 experimenteerde de Nederlandse politie voor het eerst met psychologen. Dat was bij een ontvoering van een rijke zakenman. De psychologen moesten onderzoeken wat voor soort personen de daders moesten zijn. Na uitvoerig denkwerk kwamen de experts tot het oordeel dat het waarschijnlijk om vijf personen ging. En waarschijnlijk was één van de daders een vrouw. Toen de zaak weken later uiteindelijk werd opgelost, bleek het om één dader te gaan. Een man.

Even shoppen in de buurt

Waar doe jij je boodschappen? Bij een supermarkt dichtbij, toch? Je gaat niet kilometers fietsen naar een winkel verderop als je alles ook om de hoek kunt krijgen. Zo denk jij, en zo denken de meeste misdadigers ook. Die zullen niet snel inbreken in een stad waar ze de weg niet kennen. Dat doen ze het liefst in hun eigen buurt, waar ze elk weggetje kennen. Zo weten ze precies waar ze zich kunnen verstoppen als ze op de vlucht zijn.

85

De politie maakt handig gebruik van deze kennis. Zo prikken ze speldjes op een kaart voor de plaatsen waarop een crimineel zijn misdaden pleegde. Vinden ze een verdachte die tussen al die speldjes woont, dan is het de moeite waard om die persoon extra goed in de gaten te houden.

Ik zie het aan je gezicht…

In televisieseries en films is het altijd duidelijk: degene die er het gemeenst uitziet, is vaak de slechterik. Maar is dat in werkelijkheid ook zo? De wetenschapper Cesare Lombroso dacht van wel. Hij vond, ongeveer 130 jaar geleden, dat je misdadigers aan hun gezicht kon herkennen. Hij had duizenden misdadigers bestudeerd. Zo ontdekte hij dat de schurken meestal brede kaken hadden, diepliggende ogen, doorlopende wenkbrauwen en een kromme neus.

In werkelijkheid is dit natuurlijk allemaal onzin. Misdadigers zijn er in alle soorten en maten: mooi en lelijk, dik en dun, groot en klein. Toch zijn er nog steeds mensen die de ideeën van Lombroso serieus nemen. Als er weer een misdadiger is gearresteerd die een gezicht heeft als de wetenschapper beschreef, dan zeggen ze: 'Kijk, daar heb je weer zo'n Lombroso-type.'

Het verhoor

Op 12 mei wordt het vermoorde lichaam van Henk-Jan de Wit gevonden. Hij was al een paar dagen dood voordat hij gevonden werd. De politie arresteert meteen een verdachte. Het is Bert-Jan de Bruin, zijn aartsvijand. Op het bureau wordt hij ondervraagd:

Inspecteur: 'Ontkent u de moord op Henk-Jan de Wit?'
Verdachte: 'Ja!'
Inspecteur: 'Waar was u dan op het tijdstip van de moord?'
Verdachte: 'Ik zat thuis voor de televisie. In mijn eentje. Er waren alleen geen getuigen bij. Dus dat kan ik niet bewijzen.'
Inspecteur: 'We hebben ook geen getuigen nodig. Ik weet nu al dat u de dader bent.'
Verdachte: 'Ja ja, dat zal wel! Hoe dan?'

Weet jij hoe de inspecteur dat weet? Denk eens goed na...

Oplossing: Simpel. De inspecteur heeft helemaal niet verteld hoe laat de moord werd gepleegd. Hoe kan de verdachte dan weten dat hij op dat tijdstip thuis zat? Hij kan het tijdstip van de moord alleen kennen als hij zelf iets met de moord te maken heeft... Zo zie je maar. Zo snel kan een verdachte zich bij een verhoor verspreken. Maar dat gebeurt zeker niet altijd.

Wat mag de politie bij een verhoor? En wat mag de verdachte?

De politie ondervraagt een verdachte om te achterhalen of hij iets met een misdaad te maken heeft. Dat lijkt heel makkelijk. Maar het is juist bijzonder ingewikkeld. Sommige criminelen zijn bijzonder slim. En probeer hen maar eens een diefstal of inbraak te laten bekennen. Bovendien zijn er allerlei regels waar de politie zich aan moet houden. Op de volgende pagina's zullen we eens kijken of jij die regels kent.

MOORD QUIZ

1) Mag een verdachte zwijgen?

De politie weet zeker dat een verdachte een inbraak heeft gepleegd. Ze stellen hem allerlei vragen, maar de verdachte zegt niets. Hij houdt zijn lippen op elkaar. Mag dat?

a. Nee. Wie zwijgt stemt toe. Door te zwijgen geef je aan dat je schuldig bent. Het geldt als een bekentenis.

b. Nee. Zwijgen is strafbaar. Daarvoor krijg je een extra lange celstraf.

c. Ja. Je hebt het recht om te zwijgen. Maar áls je door de mand valt, krijg je toch een zwaardere straf.

d. Ja, je mag zwijgen. Je krijgt er geen extra straf door.

2) Mag de politie je hypnotiseren?

Een politieagent kan je onder hypnose brengen. Je slaapt dan en vertelt in je slaap of je schuldig bent of niet. Mag dat?

a. Ja, waarom niet?

b. Ja, het mag. Maar de politie mag alleen vragen stellen die met de misdaad te maken hebben.

c. Nee, het mag niet. Er is niet bewezen dat hypnose werkt.

d. Nee, het mag niet. Je hebt het recht om te zwijgen, ook in je slaap.

3) Mag je als verdachte liegen tijdens een verhoor?

Je hebt een inbraak gepleegd. De politie vraagt of jij het gedaan hebt. Jij zegt nee. Mag dat?

a. Natuurlijk niet! Als je gepakt wordt, krijg je een extra zware straf.

b. Nee, je mag niet liegen. Tenzij je écht onschuldig bent.

c. Ja, je mag liegen. Je hoeft niet mee te werken aan je eigen arrestatie. Maar je mag niet in alle gevallen liegen. Je mag bijvoorbeeld niet zeggen dat iemand anders het heeft gedaan.

d. Ja, je mag liegen. Zelfs als je iemand anders ten onrechte beschuldigt, krijg je geen zwaardere straf.

4) De politie mag geen geweld gebruiken bij een verhoor. Maar mogen ze wel dreigen met geweld?

De politie mag nooit zomaar iemand slaan. Zeker niet tijdens een verhoor. Maar mogen ze wel doen alsof? Zodat de verdachte bang wordt en toch gaat praten?

a. Ja. Moet de verdachte de wet maar kennen.

b. Ja, maar alleen als alle andere methoden niet meer werken.

c. Nee, tenzij het om een heel zware misdaad gaat.

d. Nee, het mag nooit.

5) Mag de politie valse beloftes doen aan een verdachte?
De politie zegt tegen een verdachte dat hij maar een week de gevangenis in hoeft als hij de misdaad bekent. In werkelijkheid is dat helemaal niet waar. Als hij bekent, krijgt hij een veel zwaardere straf. Mag dat?

a. Ja, dat mag altijd.

b. Ja, het mag omdat het nog niet bewezen is dat de verdachte werkelijk een straf krijgt die langer dan een week duurt.

c. Nee, het mag alleen bij moordzaken en andere zware misdaden.

d. Nee, het mag nooit.

Antwoorden: **1 d, 2 d, 3 c, 4 d, 5 d.** Had je niet gedacht, hè?

Maar waarom is dat nou? Want het lijkt wel alsof de regels voor de politie strenger zijn dan voor de verdachten. De regels zijn zo streng omdat de politie altijd moet voorkomen dat een onschuldige persoon achter de tralies belandt. Daarom moet elk verhoor zo eerlijk mogelijk verlopen.

Je krijgt dus geen zwaardere straf als je als dader liegt. Maar je kunt wél een minder zware straf krijgen als je de waarheid vertelt. Als je alles eerlijk opbiecht, dan houdt de rechter daar rekening mee bij je veroordeling.

Zo krijg je ze wel aan de praat...

Vroeger hadden ze heel andere manieren om verdachten aan de praat te krijgen. Namelijk door ze te martelen! Ze hadden de verschrikkelijkste apparaten om een bekentenis af te dwingen. En het werkte prima. Als je een verdachte flink pijnigde, dan kreeg je precies de antwoorden die je wilde horen. Maar dat was nou meteen ook het probleem. Het werkte zo goed dat ook onschuldigen al vrij snel bekenden...

Het valt dus niet mee om een bekentenis te krijgen van een verdachte. De politie heeft daarom verschillende manieren om de dader aan de praat te krijgen.

1. De ontkennen-heeft-geen-zin-methode
Bij deze verhoortechniek vertelt de politie alles wat ze ontdekt hebben aan de verdachte. Ze sommen alle aanwijzingen op en leggen uit waarom ze 'weten' dat de verdachte het heeft gedaan.

2. De spervuur-aan-vragen-methode

Vaak neemt de verdachte veel tijd om een goed antwoord te bedenken. Met deze methode kan dat niet. De verdachte krijgt in een korte tijd een enorme lading vragen. Nog voordat hij klaar is met zijn antwoord op de ene vraag, krijgt hij de volgende alweer. De truc hiervan is dat hij zijn antwoorden niet goed kan voorbereiden. Als hij alles moet verzinnen, dan zal hij zichzelf snel tegenspreken of een warrig verhaal vertellen. Hierover kan de agent dan snel weer allerlei andere vragen stellen, zodat de verdachte al snel vastloopt in zijn eigen verhaal.

3. De goede-en-slechte-politieagent-methode

Eerst krijgt de verdachte te maken met een enorm strenge agent. Die schreeuwt tegen de verdachte en vertelt hem dat die voor jaren de cel in gaat. Daarna vertrekt de strenge agent en komt er een aardige voor in de plaats. De aardige agent vertelt de verdachte dat hij zelf ook een hekel heeft aan de strenge agent. De bedoeling daarvan is dat er een soort vriendschap ontstaat tussen de verdachte en de aardige agent. Die zegt ook telkens dingen als: 'Ik zou het best snappen als je het gedaan zou hebben. Misschien had ik het in jouw situatie zelf ook gedaan.' En, al mag dit niet: 'Als je meewerkt, dan zorg ik ervoor dat je geen al te zware straf krijgt.' Zo hoopt hij dat de verdachte uiteindelijk bekent.

4. De normale methode

De politie gebruikt meestal de normale methode. Die is ook het eerlijkst. Hij bestaat uit zeven stappen:

1) Kennismaken. De rechercheur legt uit wie hij is en wat de bedoeling is van de ondervraging.

2) Luisteren. De verdachte mag uitgebreid zijn versie van het verhaal geven. De politie onderbreekt hem nergens, maar noteert alles zorgvuldig.

3) Samenvatten. De rechercheur herhaalt kort wat de verdachte allemaal heeft verteld. Dit om te kijken of hij het allemaal goed heeft begrepen.

4) Vragen. De ondervrager gaat nu punt voor punt alle onderdelen van het verhaal af. Zelfs de onbelangrijkste punten komen aan de orde. De verdachte krijgt een gigantische lading vragen op zich af.

5) Samenvatten. De politie maakt opnieuw een samenvatting van het hele verhaal.

6) Opschrijven. De rechercheur maakt een verslag van alle belangrijke punten.

7) Laten lezen. De verdachte leest het verslag en vertelt of hij het er mee eens is.

Deze methode lijkt een peulenschil voor de verdachte. Zeker als je bedenkt dat de verdachte zijn advocaat ook nog eens mee mag nemen voor hulp (wat niet altijd gebeurt, omdat het heel duur is voor de verdachte). Maar de rechercheur kan wel allerlei slimme trucs gebruiken om toch te weten te komen wat hij te weten wil komen. Zo kan hij:

• doen alsof hij weet dat de verdachte schuldig is;
• doen alsof de verdachte alleen maar slechter af is als hij ontkent;
• doen alsof de verdachte zichzelf tegenspreekt: 'O? Je zei net nog…';
• de verdachte urenlang verhoren met telkens dezelfde vragen en helemaal uitputten;
• doen alsof hij veel meer bewijs heeft (of krijgt) dan hij in werkelijkheid heeft;
• doen alsof een medeplichtige al heeft bekend.

Let wel: een agent mag niet liegen. Dus hij zal deze trucs heel slim toe moeten passen.

Onschuldig en toch bekennen

Geloof het of niet, maar het is regelmatig voorgekomen dat onschuldige mensen een misdaad bekenden die ze niet gepleegd hadden. Dat is voor iemand die nog nooit ondervraagd is moeilijk voor te stellen, maar het is gebeurd. Om dat een beetje te kunnen begrijpen moet je je eens indenken hoe het is om…

- tegenover superstrenge mensen te zitten…
- nog strenger dan je strengste leraar…
- die zeggen dat je een zware straf krijgt als je niet bekent…
- die je urenlang ondervragen…
- en nog eens urenlang ondervragen…
- terwijl je doodmoe bent…
- dood- en doodmoe.

En dan zeggen ze dat je mag gaan slapen, als je bekent. Alles komt goed als je bekent. Je krijgt vast geen zware straf. De rechter begrijpt het vast wel. Zeggen ze… Maar als je niet bekent, dan moet je nog urenlang doorgaan met de ondervraging. En met alle bewijzen die er tegen je zijn, word je toch wel veroordeeld. Maar dan veel zwaarder. In zo'n situatie kan het dus gebeuren dat een onschuldige bekent om er maar vanaf te zijn. Het is al een paar keer gebeurd. Daarom is zo'n superstrenge ondervraagtechniek tegenwoordig verboden.

Daderkennis

Om te voorkomen dat een onschuldige bekent, moet de politie na een bekentenis doorgaan met vragen. Ze moeten naar allerlei details vragen die alleen de dader kan weten. Dat zijn bij een moord dus vragen als:

- Hoe laat was het precies op het moment van de moord?
- Wat had het slachtoffer aan?
- Waar is het moordwapen?
- Hoe vaak heb je geschoten/gestoken/geslagen? En waar?
- Waaróm deed je het? (Heel belangrijk, want een dader heeft altijd een motief.)

Als de verdachte het antwoord op deze vragen niet weet, dan is hij waarschijnlijk toch niet de dader. Het komt bij bekende misdaden regelmatig voor dat idioten zich melden als de dader. Soms zelfs voor misdrijven die ze nooit gepleegd kunnen hebben.

Weet de verdachte de antwoorden op de controlevragen wel, dan heeft hij daderkennis. In zo'n geval weet de politie bijna zeker dat de verdachte met de moord te maken heeft. Al hoeft de bekentenis dan nog niet te kloppen. Het kan bijvoorbeeld dat hij een medeplichtige probeert te beschermen.

Tijdens een verhoor komt het ook nog wel eens voor dat de verdachte zich verspreekt. Hij laat daarmee merken dat hij meer van de moord weet dan hij zou moeten weten. In zo'n geval valt hij meteen door de mand. Dat is bijvoorbeeld aan de hand met de verdachte aan het begin van dit hoofdstuk.

Politietaal

Dankzij dit boek kun je al een aardig woordje meepraten met de politieagenten en rechercheurs. Maar om écht mee te kunnen praten moet je ook hun taal kunnen spreken. Anders begrijp je nooit wat ze bedoelen met: 'We nemen even een achtje met toeters en bellen mee naar het HB.'

De politie heeft namelijk zijn eigen taal met zijn eigen woorden. Het klinkt als een geheimtaal, maar het is gewoon een vaktaal die in de loop der jaren is ontstaan. En dat de rest van de wereld geen snars van die woorden begrijpt, is natuurlijk best handig. Zeker als een verdachte probeert mee te luisteren.

Hier vind je een paar typische politiewoorden:
• Een achtje: iemand die dronken achter het stuur gekropen is. Genoemd naar artikel 8 uit de verkeerswet.
• Een 310: een diefstal. Ook weer genoemd naar een wetsartikel.

- Code 1000: de verdachte is onschuldig.
- Prio 1: een zeer belangrijke melding waar je met de hoogste spoed naartoe moet. (Prio 2 is minder belangrijk en Prio 3 nog minder.)
- De PD: plaats delict.
- Het HB: het hoofdbureau.
- Knippen en scheren: de verdachte ernstig ondervragen.
- De verdachte breekt: hij staat op het punt om te bekennen.
- De verdachte is aan het zingen: hij bekent de misdaad.
- De TR: de technische recherche.
- Vingeren: vingerafdrukken nemen.
- We komen binnen mét: een politieauto brengt een arrestant.
- Met toeters en bellen: met sirene en zwaailichten.

Maak dus zoveel mogelijk gebruik van deze woorden en leer die uit je hoofd. Zo maak je indruk. Een paar voorbeelden:
- De TR heeft hem net gevingerd. Hij krijgt Code 1000.
- We hebben de verdachte van de 310 geknipt en geschoren. Nu heeft hij al gezongen.

WEET JE WEETJE

Ook handig: het NAVO-alfabet

HET NUMMERBORD IS: BP 23 MN OVER.

IK VERSTA: PB 23 NM. IS DAT GOED? OVER.

NEE! BEE PEE 23 EMMEN! OVER!

BP 23 NM DUS. OVER.

NEE! EERST EEN M MET EEN DRIEPOOT! DAN EEN N MET EEN TWEEPOOT! OVER!

BP 23 MN! OVER!

NEE HEE! BP 23 MN! OVER!

DAT ZEI IK! BP 23 MN OVER.

NIETES! JE ZEI PB! OVER!

JA BP! DAT ZEI IK TOCH? OVER!

EERST DE B VAN BETER DAN DE P VAN PETER! OVERRR!

AHA! DUS PB 23 MN? OVER.

CORRECT! OVER.

Nou, dat werkt dus niet echt lekker. Daarom heeft de politie een eigen alfabet om namen en nummerborden te spellen. Het alfabet geldt voor alle westerse landen. Dus ook als een Nederlandse agent met een Britse of Franse collega praat, dan kunnen ze de letters zonder problemen uitwisselen.

A Alpha	J Juliett	S Sierra
B Bravo	K Kilo	T Tango
C Charlie	L Lima	U Uniform
D Delta	M Mike	V Victor
E Echo	N November	W Whiskey
F Foxtrot	O Oscar	X X-ray
G Golf	P Papa	Y Yankee
H Hotel	Q Quebec	Z Zulu
I India	R Romeo	

Bijzondere misdaden

Niet elke misdaad heeft met een moord, overval of inbraak te maken. Er zijn nog een heleboel andere situaties waarbij de politie in actie moet komen. En ook daar zijn weer speciale opsporingsmethoden voor nodig om de daders te vinden.

Valsemunterij

Valsemunterij is minstens zo oud als de weg naar Rome. Want er zijn namelijk verschillende verhalen over valsemunters in het Romeinse rijk. De meeste munten waren toen van goud, zilver, brons en koper. De valsemunters sloegen munten die voor de helft van deze materialen gemaakt waren en voor de helft van een goedkoper metaal.

Tegenwoordig worden er geen munten meer nagemaakt. Papiergeld levert veel meer op. Het is overigens lastiger dan je denkt. Want er zijn heel wat dingen waar je op moet letten als je een briefje van vijftig euro wilt vervalsen. Pak er maar eens een bankbiljet bij en kijk goed naar de 'echtheidskenmerken':

Bankbiljetten zijn altijd gemaakt van extra duur en stevig papier. Het voelt ook anders aan dan gewoon papier.

Ze hebben een hologram (dat is dat glinsterende stukje papier met al die mooie kleurtjes. Als je goed kijkt, zie je er allemaal afbeeldingen of teksten in).

Als je een bankbiljet tegen het licht houdt, zie je ineens een streep. Dat is de veiligheidsdraad. Ook zie je een duidelijk watermerk.

Als je met een vergrootglas kijkt, zie je allemaal extreem kleine lettertjes (bijvoorbeeld in de Ω van het woord 'EYPΩ'). Die zijn voor valsemunters bijna niet na te maken.

Als je een bankbiljet in ultraviolet licht houdt, bijvoorbeeld bij een zonnebank of hoogtezon, dan zie je allerlei kleuren en figuren die je daarvoor niet zag.

Toch zijn er nog steeds misdadigers die erin slagen om bankbiljetten na te maken. Die biljetten hebben de meeste van die echtheidskenmerken niet, maar zien er toch heel echt uit. Echt genoeg om veel mensen voor de gek te houden.

Maar hoe pak je nu een valsemunter?

Stel. Een valsemunter geeft valse briefjes van vijftig euro uit bij een televisiewinkel. De eigenaar van de winkel gaat daarmee naar de bank en daar ontdekken ze dat het geld vals is. De bank brengt de politie meteen op de hoogte.

Als de winkeleigenaar de man die met die briefjes betaalde nog kan beschrijven, dan heeft de politie een spoor. Maar vaak is dat niet het geval. Bovendien is lang niet iedereen die met een vals briefje betaalt ook zelf een valsemunter. Soms verandert een briefje wel tien keer van eigenaar voordat iemand ontdekt dat het vals is. De politie moet dus een andere methode gebruiken.

Zo gaan de rechercheurs te werk:

1. Ook valse bankbiljetten moeten worden gedrukt op bijzonder papier. Er zijn maar een paar fabrieken waar ze dat soort papier kunnen maken. Bij die fabrieken moeten ze nagaan aan wie dit speciale papier allemaal is verkocht.

2. Hetzelfde geldt voor de drukpersen waarmee de bankbiljetten worden gedrukt. Ook dat kunnen er maar een paar zijn. Bedrijven die dit soort drukpersen maken, moeten vertellen aan wie ze deze apparaten verkopen. Omdat valsemunters slim genoeg zijn om te weten dat de politie naar ze op zoek gaat, kopen ze geen kant-en-klare drukpersen, maar losse onderdelen. Dus ook dat moeten de rechercheurs onderzoeken.

3. Ten slotte is er nog de inkt waarmee de biljetten bedrukt zijn. Ook dat is weer een speciaal soort inkt. De politie moet dus weer gaan zoeken naar bedrijven die dit soort inkt maken.

En zo komen de rechercheurs stapje voor stapje steeds dichter bij de valsemunters. En als ze telkens dezelfde namen tegenkomen als kopers, dan hebben ze beet. Het is een enorm karwei, maar het is wel succesvol. De meeste valsemunters worden dan ook uiteindelijk gearresteerd.

En het valse geld? Dat wordt allemaal zo snel mogelijk vernietigd…

Kunstvervalsing

Waar geld te verdienen is, daar zijn misdadigers. Een goed schilderij levert soms miljoenen op. Dus je begrijpt dat er genoeg criminelen zijn die daar wel een centje aan mee willen verdienen. Met diefstal natuurlijk, maar ook door kunstwerken te vervalsen.

Alles wat gemaakt kan worden, kan ook worden nagemaakt. Dat geldt voor schilderijen, maar ook voor antieke vazen, kostbare beelden en andere kunstvoorwerpen. Vooral vroeger was het lastig om te bepalen of een voorwerp eeuwenoud was of nieuw. Maar tegenwoordig kunnen wetenschappers dat in een laboratorium precies achterhalen. Ze onderzoeken bijvoorbeeld:

- Hoe is de verf gemaakt?
- Hoe oud zijn de grondstoffen?
- Komen de grondstoffen exact overeen met de grondstoffen van 'echte' kunstwerken?
- Met welke instrumenten zijn de kunstvoorwerpen gemaakt?
- Zitten er chemische stoffen in het kunstwerk die vroeger nog niet bestonden?

Vervalst echt

Zo kunnen de experts precies zien of een oud werk echt oud is of niet. Bij modernere kunstwerken kan dat natuurlijk niet. Ze komen allemaal uit dezelfde tijd. Daarom moeten er kunstkenners aan te pas komen om te beoordelen of een verdacht kunstwerk wel echt is of niet. Als zij zeggen dat het echt is, dan krijgt het kunstwerk een officiële echtheidsverklaring. Maar… ook zo'n officiële echtheidsverklaring kan natuurlijk worden nagemaakt. Dat is zelfs een stuk eenvoudiger dan het vervalsen van een kunstwerk zelf. Dus als je een schilderij van Rembrandt kunt vervalsen, dan is zo'n papiertje een peulenschil. Vandaar dat er nog steeds heel wat vervalsingen verkocht worden. Sterker nog, de vervalsers zelf geven toe dat ze hun 'eigen' vervalste werken in de grootste musea hebben zien hangen. Maar welke dat zijn? Dat weten zij alleen. Maar ja: kunst is kunst. En goed vervalsen is ook een kunst.

ECHT GEBEURD!

Wat moeten we nou?

De Nederlandse schilder Geert Jan Jansen maakte honderden vervalsingen van de beroemdste schilders. Zijn werk was zo goed dat de schilders die hij vervalste ook zelf dachten dat het hun eigen werk was. Jansen verdiende er miljoenen mee.

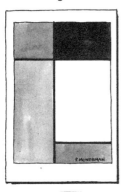 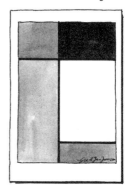

Totdat hij gepakt werd door de Franse politie. In zijn huis in Frankrijk vonden ze duizenden schilderijen en tekeningen. Valse én echte. Maar niemand kon met zekerheid zeggen of ze nu echt of vals waren.

De politie wilde daarom álle schilderijen vernietigen. Dat zou betekenen dat ook veel echte kunstwerken ter waarde van honderdduizenden euro's zouden worden vernietigd. Gelukkig is dat nooit gebeurd.

Computermisdaad

In mei 2000 kregen tientallen mensen een vriendelijk mailtje. Er stond *I love you* in de kopregel: 'Ik hou van je'. Zo'n mailtje wil je wel openen. En dat deden ze dan ook allemaal. Wat ze niet wisten, was dat het helemaal geen vriendelijk mailtje was. Dat het een schadelijk virus bevatte. En dat dit mailtje zichzelf meteen doorstuurde naar alle andere adressen die in de computer stonden. Zo werden de tientallen mailtjes er tienduizenden en uiteindelijk werden het er zelfs tientallen miljoenen.

De schade was enorm. Sommige bedrijven konden dagenlang niets doen. Computers en harde schijven waren beschadigd en miljoenen bestanden met belangrijke gegevens waren voorgoed verloren gegaan. Nog nooit had een computervirus zo zwaar toegeslagen. Voor het eerst werd duidelijk dat computermisdaad net zo schadelijk was als andere vormen van criminaliteit.

De politie had veel ervaring met inbrekers, moordenaars en overvallers. Maar hier wisten ze nog veel te weinig van af.

109

Toch was het 'I love you'-virus niet het eerste virus. Er waren er al heel wat aan voorafgegaan. In sommige gevallen waren de bedenkers zelfs al gepakt. Zo kwamen ze op het idee om een veroordeelde virusbedenker in te schakelen bij de opsporing van deze misdadiger. En dat werkte. Uiteindelijk werden de schrijvers van het 'I love you'-virus gepakt.

Er was alleen een klein probleempje. Het maken van virussen was zo nieuw, dat er nog geen wet tegen was. En als iets niet bij de wet verboden is, dan is het ook niet strafbaar. Daarom gingen de daders in dit geval toch nog vrijuit. Niet lang daarna werd computermisdaad over de hele wereld strafbaar.

Wat mag niet?

Niet alleen het schrijven van virussen is verboden. Er mag nog veel meer niet. Bijvoorbeeld:

- Inbreken op andermans computer of netwerk.
- Vernielen van iemands gegevens op de computer (virussen maken dus).
- Het auteursrecht schenden door vermenigvuldiging en verspreiding van digitale bestanden.

Daarmee bedoelen we het downloaden van illegale mp3-tjes en films…

- Iemand lastigvallen door voortdurend e-mailtjes te sturen (spammen).
- Spioneren op iemands computer en belangrijke geheime informatie (zoals wachtwoorden, maar ook liefdesbrieven!) lezen en stelen.
- Internetwinkels oplichten door spullen te kopen met valse betaalgegevens.
- Reclameboodschappen sturen naar mensen die daar geen behoefte aan hebben.

Hoe pak je de daders?

Het pakken van de daders is lastig, maar niet onmogelijk. Er zijn twee soorten methoden om de daders op te sporen.

1) De digitale vingerafdruk

Iedereen die internet gebruikt, laat een spoor achter. Een soort digitale vingerafdruk. Het is onmogelijk om het internet op te gaan zonder sporen achter te laten. Zodra jij een website bezoekt, is het voor experts mogelijk om te achterhalen op welke computer jij werkt en waar die computer staat. Het is een enorm lastig karwei, maar het lukt altijd.

Slimme computermisdadigers maken daarom vaak gebruik van verschillende internetcafés. Ook werken ze via heel veel verschillende netwerken. En elke keer moet de politie weer opnieuw puzzelen om te weten waar die 'vingerafdrukken' vandaan komen. Maar heb je die computers gevonden, dan kun je weer verder.

Want de daders hebben waarschijnlijk op die computers ook hun e-mail gelezen of andere sites bekeken waar je een wachtwoord voor nodig hebt. Dat is voor de computerexperts van de politie allemaal te achterhalen. Zie je dus op de verdachte computers dezelfde wachtwoorden, dan weet je bijna zeker dat je de dader te pakken hebt. En de politie mag in speciale gevallen wél inbreken in bestanden en computers. Zo kunnen ze achterhalen van wie het wachtwoord is en wie dus de dader moet zijn.

2) Volg het geld

Als een computermisdadiger inbreekt in het computernetwerk van een bank of bedrijf om geld te stelen, dan moet dat geld ergens naartoe. Naar een andere bankrekening dus. En van wie is die bankrekening? Van de verdachte natuurlijk. En dat is weer te achterhalen. Slimme criminelen zorgen ervoor dat het eerst naar tientallen andere bankrekeningen gaat voordat het op hun eigen rekening komt. Dat is allemaal extra werk voor de politie. Maar uiteindelijk weet de politie ze toch te vinden. Het enige probleem is dat een deel van het geld tegen die tijd misschien al op is. Maar de dader kan wél worden gearresteerd.

Opmerkelijke misdadigers en misdaden

Tja, er zijn natuurlijk duizenden belangrijke misdaden en misdadigers. Maar een paar belangrijke en bijzondere moet je
toch op z'n minst kennen. Hier komen ze:

DOSSIERMAP

DOSSIER 1: DE ONTVOERING VAN ALFRED HEINEKEN

Zaak opgelost door: tip van onbekende

Alfred Heineken. Die naam zegt je vast wel
iets. In elk geval de achternaam, want die
is van het beroemdste biermerk ter wereld.
En Alfred Heineken was daar de directeur
van. Hij was dan ook schatrijk. Hoe rijk
precies, dat weet niemand, maar ze schatten
dat hij meer dan 4 miljard euro had toen hij
in 2002 overleed.
Dat maakte het natuurlijk heel aantrekkelijk
om hem te ontvoeren en losgeld te vragen. En
dat gebeurde dan ook, in 1983. Alfred was op
dat moment nog niet zo heel super giga-rijk,
maar toch al wel gewoon giga-rijk.
Net toen hij zijn kantoor in Amsterdam uit-
liep, werd hij gepakt en in een busje ge-
duwd. Zijn chauffeur, Ab Doderer, die er bij
was, moest ook mee.
Niet veel later ging de telefoon bij de politie. In ruil voor 35 miljoen gulden (ongeveer 16 miljoen euro) zouden ze Heineken en

zijn chauffeur weer vrijlaten. Drie weken
lang zaten de twee vast in een loods bij Amsterdam.
Uiteindelijk werd het losgeld betaald. Maar
de ontvoerders sloegen meteen op de vlucht.
Ze lieten de twee niet meer vrij.

Gelukkig was de politie de daders al op het spoor. En ze hadden ook al ontdekt waar Heineken en Doderer gevangen werden gehouden. Toen ze de twee bevrijdden, was het eerste
wat de bierbrouwer zei: 'Hadden jullie niet wat eerder kunnen
komen?' Niet veel later werden alle ontvoerders gepakt.

DOSSIERMAP

DOSSIER 2: AL CAPONE, DE BEROEMDSTE MISDADI-
GER UIT DE GESCHIEDENIS
Gepakt voor: niet betalen van belastingen

Op de leeftijd dat de meeste jongens nog gewoon naar school gaan, was Al Capone in Amerika al een echte misdadiger. Hij mocht
trouwens ook niet meer naar school, omdat
hij op zijn veertiende al een leraar in elkaar had geslagen.

Daarna probeerde hij om via gewone baantjes
wat geld te verdienen. Maar al snel bleek
dat hij met misdaad veel meer kon verdienen.
Als jonge misdadiger was hij een ijverig
baasje, want hij zat niet in één maar in
twee jeugdbendes tegelijk. Een paar jaar
later ging hij bij echte bendes werken.
Vanaf dat moment ging het snel. In zes jaar
tijd wist hij zich op te werken van portier
bij een verboden café tot baas van een
grote misdaadorganisatie.

Al Capone was een echt manusje-van-alles
als het op misdaad aankwam. Berovingen,
ontvoeringen, moord, brandstichting: noem
maar op. En tja, als je het zo druk hebt
met misdaden plegen, dan heb je ook helemaal geen tijd meer voor een eerlijke baan!

Kijk maar eens hoe vol zijn agenda was:

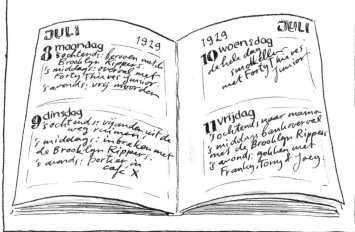

Van 1920 tot 1933 was het verkopen van alcohol verboden in Amerika. En dat was precies de tijd waarin Al Capone de baas van
de onderwereld was. Hij en zijn bende ver-
kochten stiekem alcohol en ze werden daar
stinkend rijk mee. Daarnaast deed Capone
ook nog allerlei andere dingen die verboden
waren. Hij deed mee aan moordpartijen,
overvallen, berovingen en hij was de baas
van verschillende verboden casino's.

Toch kon de politie hem nooit te pakken
krijgen. Er was nooit genoeg bewijs te vinden tegen Capone. En als er al een getuige
was die hem wilde verraden, dan werd die
persoon later ergens dood gevonden met een
afgesneden tong.

Uiteindelijk kon Capone toch worden gepakt en veroordeeld.
Niet voor de tientallen moorden die hij heeft gepleegd. Niet
voor het smokkelen van drank. Niet voor de overvallen en berovingen. Maar voor het ontduiken van de belasting…

DOSSIERMAP

DOSSIER 3: BONNIE EN CLYDE, MISDADIGE GE-
LIEFDEN

Gepakt door: hinderlaag

Clyde Barrow was zestien jaar toen hij voor
het eerst door de politie werd opgepakt. Hij

had toen een auto gehuurd en was wekenlang
'vergeten' om hem terug te brengen. Bonnie
Parker was op haar vijftiende al getrouwd.
Dat was in Amerika rond 1925 heel gewoon.
Maar een paar jaar later moest haar man vanwege een misdaad de gevangenis in. Sindsdien
heeft ze haar man nooit meer gezien.
Vanaf het moment dat ze elkaar zagen, waren
ze verliefd op elkaar. En als Clyde ergens
heen ging, dan ging de beeldschone Bonnie
mee.

Dat betekende dat zij bij een heleboel overvallen, inbraken, ontvoeringen en schietpar-
tijen aanwezig was. Want Clyde was de leider
van een misdadige bende. Als het moest,
schoten ze iedereen dood. Politieagenten,
maar ook gewone burgers.
Bonnie en Clyde waren voortdurend op de
vlucht. En overal waar ze kwamen, lieten ze
een spoor van vernieling achter. Regelmatig
was de politie de twee op het spoor. Maar
Clyde was zo'n goede schutter, dat hij altijd won. En telkens als ze weer een overval
hadden gepleegd of een schietpartij hadden
gewonnen, belden ze de kranten op om hun
verhaal te vertellen. Dat maakte hen wereld-
beroemd.

De politie vond dat natuurlijk maar niets. En daarom schakelden ze de beste politieman van het land in: Frank Hamer. Hamer was eigenlijk al gestopt met werken, maar toen hij werd gevraagd om de twee te helpen arresteren, zei hij meteen ja. Hij zorgde ervoor dat ze in een hinderlaag werden gelokt. Bonnie en Clyde stierven allebei in een regen van kogels in 1934.

DOSSIERMAP

DOSSIER 4: HEER OLIVIER, DE MEESTEROPLICHTER

Gepakt door: Duitse politie

Wie zegt dat alle misdadigers moordenaars en overvallers zijn? Nee hoor, je kunt ook een zware crimineel zijn zonder ook maar één keer een wapen te gebruiken. Dat deed Ari Olivier bijvoorbeeld. Hij wordt vooral 'Heer' Olivier genoemd, omdat hij er altijd netjes uitziet. En hij is waarschijnlijk de grootste oplichter van Nederland.
Alles bij elkaar heeft hij zo'n half miljard euro bij elkaar verdiend door mensen en bedrijven op te lichten. Het maakte daarbij niet uit wie hij oplichtte en waarmee. Zo heeft hij niet bestaande aardappelen verkocht, en gehandeld in vervalste kunstwerken en vals geld.
Het absolute 'meesterwerk' van Heer Olivier was de verkoop van allerlei belangrijke olieleidingen aan bedrijven. De bedrijven hadden keurig betaald en Olivier had al het geld keurig ontvangen. Er was alleen één

klein probleempje: de leidingen bestonden
alleen in het hoofd van Heer Olivier. Er lag
geen enkele pijpleiding. Op dezelfde dag dat
hij deze stunt uithaalde, flikte hij nog een
kunstje. Hij had twee schepen verkocht aan
Israël. Het enige probleem was dat het zijn
schepen niet waren. Nou ja, hij had ze wel
gekocht, maar nooit betaald. Alles bij elkaar verdiende hij die dag zo'n 30 miljoen
euro. En wie zegt dat misdaad niet loont?
Heer Olivier kreeg zelfs even zijn eigen
televisieprogramma in Nederland. Alleen
moest het programma na drie afleveringen alweer stoppen. De presentator zat in een
Duitse cel. Wegens... oplichting.

Tegenwoordig verkoopt Ari antiek. Dus als je een mooie oude
Chinese vaas wilt kopen van iemand die zich 'Heer Olivier'
noemt: niet doen!

DOSSIERMAP

DOSSIER 5: JACK THE RIPPER

Zaak nooit opgelost

Jack the Ripper is verreweg de bekendste
seriemoordenaar uit de geschiedenis. En
trouwens ook de onbekendste. Want nog
steeds weet niemand zeker wie hij nou was.
Jack the Ripper is dus niet zijn echte
naam. Het betekent 'Jack de Kapotsnijder'
en die naam klopt aardig, want hij vermink-
te zijn slachtoffers gruwelijk met een mes.
'R.I.P.' is ook nog eens de afkorting van
een graftekst en betekent 'Rust in Vrede'.
In totaal vermoordde hij vijf vrouwen, allemaal in de Engelse hoofdstad Londen. Het
kunnen er trouwens best nog meer geweest
zijn.
Want er zijn ook andere vrouwen op een
soortgelijke manier vermoord in Londen.
Jack the Ripper was niet de eerste seriemoordenaar. Maar hij was wel de eerste
seriemoordenaar waar de kranten uitvoerig
over schreven. En omdat hij telkens maar
zijn gang kon gaan zonder gepakt te worden,
werd hij steeds beroemder.
Als toppunt van lef schreef hij ook nog
eens een brief naar de politie. Daarin
stond precies wat hij gedaan had. In de
laatste regel van de brief stond 'Pak me
dan, als je kan.' Heel veel politieagenten
hebben geprobeerd om de moorden op te lossen. En omdat dat nooit gelukt is, zijn
veel mensen gaan denken dat een belangrijke

persoon ze heeft gepleegd. Die persoon zou
zoveel macht hebben gehad dat de politie
hem niet durfde te arresteren. Ook al
wisten ze dat hij het gedaan had. Er zijn
zelfs mensen die beweren dat een Engelse
prins opdracht heeft gegeven om de vrouwen
te vermoorden.

Jack the Ripper houdt alle misdaadkenners nog steeds bezig. Ook al zijn de moorden zo'n 120 jaar geleden gepleegd. Er verschijnen nog steeds boeken over en telkens komt er weer iemand met een nieuwe oplossing. Momenteel denken sommige mensen dat een vrouw de moorden heeft gepleegd. Het DNA dat op de brief is gevonden komt namelijk van een vrouw. Bovendien heeft een belangrijke misdaadkenner altijd al gezegd dat de dader waarschijnlijk een vrouw was: sir Arthur Conan Doyle, de schrijver van Sherlock Holmes.

Jack the Ripper is dus nooit gepakt. Maar er is één troost, hij moet nu wel dood zijn. Of zo ontzettend bejaard dat hij geen vlieg meer kwaad kan doen.

DOSSIERMAP

DOSSIER 6: DE BENDE VAN NIJVEL

Zaak nooit opgelost

De bende van Nijvel is zonder twijfel de meest gewelddadige bende uit de Lage Landen. Van 1982 tot en met 1985 pleegden ze zeventien overvallen in België. Daarbij schoten ze wild om zich heen, en zorgden ze ervoor dat er in totaal achtentwintig doden en twintig gewonden vielen. En tot op de dag van vandaag zijn de daders nooit gepakt. Bij de overvallen waren telkens drie mannen aanwezig. Een lange man die de baas was, een kleinere man die de meeste moorden pleegde en een oudere man die als chauffeur diende. De bende nam telkens heel veel risico. Een slimme misdadiger slaat na een overval meteen op de vlucht. Maar de bende van Nijvel pleegde gewoon nog een overval op dezelfde avond. Wat de bende ook zo bijzonder maakte, was dat ze heel veel geweld en wapens gebruikten, maar dat ze maar heel weinig buit maakten.

EEN FLES WIJN OF JE LEVEN!

```
Soms namen ze alleen koffie, wijn en cham-
pagne mee. Het geld lieten ze in de kassa
liggen. En als ze al geld meenamen, dan was
dat nooit meer dan 30.000 euro. Dat was heel
weinig, gezien de hoeveelheid slachtoffers
die ze maakten.
```

Bij de laatste overval wist de politie een van de overvallers te raken. Sommige mensen zeggen dat ze de daders in een bos hebben gezien, terwijl die het lichaam aan het begraven waren. De politie heeft er een paar keer gezocht, maar het lichaam is nooit gevonden. Ze vonden wel wapens en kogels. Het goede nieuws is dat de overvallen sindsdien wel gestopt zijn.

Omdat de bende nooit veel geld meenam, denken sommige mensen dat ze het niet om de buit deden. Waarom ze de overvallen dan wél pleegden… dat weet niemand.

DOSSIERMAP

```
DOSSIER 7: WILLEM HOLLEEDER, HET PROCES VAN
DE EEUW
Opgepakt door: verklaringen zakenpartner

Toen Willem Holleeder in 2006 in Nederland
werd opgepakt en moest worden veroordeeld,
hadden de kranten het over het proces van de
eeuw. Willem Holleeder had dan ook een be-
hoorlijke staat van dienst als crimineel.
```

Als 18-jarige jongen reed Holleeder al rond
in dure auto's, die hij nooit van zijn zak-
geld had kunnen betalen. Waar hij dat geld
dan wel vandaan haalde dat weet niemand
precies, maar de meeste mensen denken dat
hij een bende had waarmee hij overvallen
pleegde.

De jonge Holleeder had dus al behoorlijk wat
geld en even probeerde hij op een eerlijke
manier aan de kost te komen. Maar de zaken
gingen toch niet zo goed, dus daarom koos
hij maar weer voor de misdaad. Samen met
zijn vroegere bendeleden besloot hij om de
rijkste man van Nederland te ontvoeren, een
oude bekende: Alfred Heineken (zie Dossier
1!).
Willem Holleeder heeft voor die ontvoering
acht jaar in de gevangenis gezeten. Daarna
ging hij al snel weer het misdaadpad op. De
politie verdacht hem van drugshandel en andere misdaden, maar ze konden hem nooit wat
maken. Volgens de politie dreigde hij mensen
te vermoorden als ze hem niet betaalden.
Maar niemand stapte naar de politie. Dus ze
konden er niets tegen doen.

Pas in 2005 durfde er eindelijk iemand naar de politie te gaan. Dat was Willem Endstra, een van de zakenpartners van Holleeder. Hij wilde alles over Holleeder vertellen, maar nog voor hij met bewijzen kon komen, werd hij vermoord. Toch arresteerde de politie Holleeder. En daarmee begon dus in Nederland het proces van de eeuw.

DOSSIERMAP

DOSSIER 8: BILLY DE KID, DE JONGSTE BEROEMDE MISDADIGER

Neergeschoten door sheriff

Hoe hij nou werkelijk heette, weet niemand zeker. Het zou best William Harrison Bonney kunnen zijn. Of Henry McCarthy. Maar niemand weet precies wie zijn vader was. Daar is weinig over bekend. Bij de meeste mensen is hij bekend onder zijn bijnaam: Billy the Kid. Hij werd geboren rond 1860 in Amerika. Volgens sommigen was hij op twaalfjarige leeftijd al een zware misdadiger, maar dat heeft nooit iemand kunnen bewijzen. Zeker is wel dat Billy vanaf zijn veertiende een misdadiger werd. In dat jaar stierf zijn

moeder. En omdat hij verder niemand had die
hem hielp, moest hij zelf aan de kost zien
te komen. Overigens viel zijn eerste misdaad
nog best mee: hij stal een stapel kleren uit
een wasserette. Hij werd gearresteerd, maar
ontsnapte na twee dagen door de schoorsteen
van de gevangenis. Zijn volgende misdaad was
al een stuk erger: diefstal van paarden.
Niet lang daarna pleegde hij zijn eerste
moord.
Sindsdien kon The Kid nooit meer op een eerlijke manier aan de kost komen. Dus vanaf
dat moment werd hij een echte crimineel. Al
was hij nog jong, hij had al snel zijn eigen
bende waarmee hij veel overvallen en moorden
pleegde. Een paar jaar later werd hij voor
de tweede keer opgepakt. Dit keer gaven ze
hem de doodstraf. Maar voordat ze hem op
konden hangen, was Billy alweer ontsnapt.
Toch liep het uiteindelijk slecht met hem
af. Sheriff Pat Garrett wist hem op te sporen en schoot hem dood. Billy the Kid, een
van de bekendste misdadigers uit de geschiedenis, werd nooit ouder dan twintig.

Of toch wel? Want vele jaren
later beweerde ene Brushy Bill
Roberts dat hij in werkelijkheid
Billy the Kid was. Pat Garrett
had de verkeerde doodgescho-
ten. In dat geval zou Billy the
Kid zelfs nog behoorlijk oud zijn
geworden. Voor een Kid dan.

U BILLY THE KID? HM!
MEER BILLY DE
BEJAARDE!

DOSSIERMAP

DOSSIER 9: GOEIE MIE, DE LEIDSE GIFMENGSTER

Gepakt door: foutje

Goeie Mie werd ze genoemd. Maar in werkelijkheid heette ze Maria Catharina Swanenburg. Ze hadden haar trouwens beter Slechte Mie kunnen noemen, want slecht was ze. Hoeveel moorden ze heeft gepleegd, weet niemand zeker. Maar het waren er mínstens zestien.

Mie woonde rond 1880 in een arme buurt in Leiden, Nederland. En daar stond ze erom bekend dat ze altijd voor zieken en kinderen zorgde. Ze gaf hen te eten en hielp ze aan 'geneeskrachtige' drankjes. Maar hoe ze haar best ook deed, veel van haar patiënten gingen vrij snel dood. Dat kwam omdat ze gif in de drankjes stopte. En nog wel een van de zwaarste soorten vérgif ook: arsenicum. Maar waarom deed ze dat? Hoe kon ze daar geld aan verdienen? Wat niemand wist, was dat Mie allerlei begrafenisfondsen betaalde voor haar slachtoffers. Een begrafenisfonds

is een verzekering. Als je een verzekering
voor iemand afsluit en die persoon sterft,
dan krijg je geld van de verzekering om de
begrafenis te betalen. Natuurlijk betaalde
Mie daar uiteindelijk helemaal niet aan mee.
Dat geld hield ze lekker zelf.

Op een dag ging het toch mis. Ze wilde niet alleen een meisje uit de weg ruimen, maar ook een heel gezin. En net die dag gebruikte ze niet genoeg vergif. Daardoor bleef iedereen leven. Ze vonden allemaal dat de melk die Mie ze had gegeven bijzonder vies smaakte. Daarop besloot de politie de zaak te onderzoeken. Ze vonden het gif in haar huis en arresteerden haar. Daarna hebben ze nog zestien lijken opgegraven. Allemaal mensen die gestorven waren nadat ze door Mie waren verpleegd. En bij alle slachtoffers vond de politie sporen van arsenicum.

Mie werd gearresteerd en kreeg levenslang.

DOSSIERMAP

DOSSIER 10: HAN VAN MEEGEREN, VERVALSER,
VERRADER, EN NOG VEEL (VER)MEER

Gepakt door: bekentenis

De Nederlandse kunstschilder Han van Meegeren had veel talent. Hij vond het alleen
maar niets dat een eeuwenoud schilderij vele
malen meer opleverde dan zijn eigen schilderijen. Daarom besloot hij vanaf 1923 om

schilderijen in die oude stijl te maken. Hij
bedacht allerlei methodes om de schilderijen
ook nog eens extra oud te laten lijken en hij
deed ze in eeuwenoude lijstjes.
En het werkte. Zelfs beroemde kunstkenners
trapten erin.
Ondertussen werd ook zijn eigen werk steeds
beter gewaardeerd. Ook zijn eigen schilderij-
en leverden nu veel geld op. En Van Meegeren
werd schat- en schatrijk. Hij maakte onder
andere schilderijen 'namens' beroemde schilders als Vermeer en Frans Hals.
In de Tweede Wereldoorlog verkocht Van Meegeren veel valse schilderijen aan de Duitsers,
onze vijand. Die trapten er allemaal in en
deden graag zaken met hem. Maar juist
daardoor ging het mis. Na de oorlog werd Van
Meegeren als 'een vriendje van de Duitsers'
gezien. En daarom moest hij de gevangenis in.
Hij zou voor jaren worden opgesloten en voor-
taan met de nek worden aangekeken. Daarom
vertelde Van Meegeren zijn grote geheim maar:
hij had de Duitsers juist opgelicht met zijn
vervalsingen. Hij was nu geen verrader meer,
maar een held.
Het enige probleem was dat ook alle andere
Vermeers en Frans Halsen die hij had verkocht
extra zorgvuldig werden onderzocht. En toen
kwam de aap uit de mouw. Ook die waren vals.
Uiteindelijk moest Van Meegeren toch de gevangenis in. Niet wegens het zakendoen met de
Duitsers, maar vanwege de vervalsingen die
hij aan de Nederlanders had verkocht.

Van Meegeren kreeg overigens maar een jaar gevangenisstraf. Helaas overleed hij in de cel. Al zijn schilderijen, zijn eigen én zijn valse, zijn nu enorm veel waard.

Tot slot: zelf ook misdaden oplossen?

Misschien denk je na het lezen van dit boek: 'Hé, het lijkt me wel leuk om met misdaad bezig te zijn.' Nou, dat is goed nieuws. Want de misdaad houdt nooit op. En er zijn altijd nieuwe mensen nodig in het vak. Maar je kunt een heleboel verschillende kanten op. Je moet dus kiezen wat je het leukst vindt.

1. Wil je de misdadigers zelf oppakken en arresteren?
Dan moet je agent worden. Politieagenten zijn de mannen en vrouwen die het zware werk opknappen. Als agent maak je alles van dichtbij mee. Van de eerste melding van de misdaad tot en met de arrestatie van de dader.

- Voordeel: spannende baan.
- Nadeel: je kunt hier en daar wat klappen oplopen als je met misdadigers te maken hebt.

2. Wil je het echte speurwerk doen?
Dan moet je rechercheur worden. Als rechercheur ben je bezig met het verzamelen en onderzoeken van alle puzzel-stukjes die naar de dader moeten leiden. Je krijgt alles van de misdaad te weten en zorgt ervoor dat de misdadigers uiteindelijk gepakt worden.

- Voordeel: je hoeft geen klappen op te lopen.
- Nadeel: je bent soms dag en nacht met een zaak bezig.

3. Hou je van echt puzzelen?

Dan moet je sporenanalist worden. Met deze baan onderzoek je in een laboratorium alle vezels, glassplinters, bloedspetters en noem het maar op. Zonder jou zijn de rechercheurs nergens. Je kunt bij deze baan twee kanten op: je kunt DNA-sporen óf overige sporen onderzoeken.

• Voordeel: de leukste baan ter wereld als je van puzzelen houdt.

• Nadeel: je weet van te voren nooit of de puzzel die je aan het maken bent wel compleet is, en of een stukje er wel bij hoort.

4. Weet je alles van computers?

Dan moet je natuurlijk computerexpert bij de politie worden. Je onderzoekt dan met behulp van speciale computerprogramma's of een verdachte inderdaad de dader kan zijn. Bijvoorbeeld door foto's te bestuderen, door met behulp van de computer te onderzoeken hoe de dader eruit zou kunnen zien of juist te achterhalen wie dat onbekende slachtoffer is.

• Voordeel: soms lijkt het wel alsof je de hele dag computerspelletjes doet.

• Nadeel: je moet het wel leuk vinden om uren achter elkaar achter de computer te zitten. Uren en uren…

5. Speel je graag de baas?

Dan moet je politiecommissaris worden. De commissaris is de baas van alle rechercheurs en agenten. Je verdeelt de taken en zorgt ervoor dat iedereen doet wat hij moet doen. Jij bent er verantwoordelijk voor dat de daders uiteindelijk gepakt worden, want het is jouw politiekorps.

- Voordeel: omdat jij de baas bent, krijg jij de eer als de daders gepakt worden.
- Nadeel: omdat jij de baas bent, krijg jij de schuld als de daders niet gepakt worden.

6. Heb je een sterke maag?

Dan moet je patholoog-anatoom worden. Lijkschouwer dus. In deze baan achterhaal je de doodsoorzaak en het tijdstip van de dood van een slachtoffer. Je weet alles van het menselijk lichaam. En als een moordenaar zijn best heeft gedaan om een moord op een ongeluk te laten lijken, dan kun je hem te slim af zijn door de werkelijke doodsoorzaak te achterhalen.

- Voordeel: je verricht heel erg belangrijk werk.
- Nadeel: je moet ertegen kunnen om in dode mensen te snijden.

7. Ben je gek op misdaad?

Dan kun je natuurlijk ook nog misdadiger worden. Als misdadiger kun je bijvoorbeeld roofovervallen plegen, mensen vermoorden of inbraken plegen. Je zorgt ervoor dat de politie genoeg te doen heeft, door telkens weer al je sporen uit te wissen, of zelfs juist dwaalsporen te verspreiden. En je laat een boel mensen bang, kwaad of verdrietig achter.

• Voordeel: je bent eigen baas en kunt zelf je werktijden bepalen.

• Nadeel: je zit waarschijnlijk een groot deel van je leven achter slot en grendel.

Register

Wil je nog wat meer weten over spionnen, lees dan:

door Jan Paul Schutten

met tekeningen van
Sieger Zuidersma

Kluitman

WAAR ZITTEN ZE...?

Kijk eens uit het raam. Zie je iets verdachts? Nee? Kijk nog maar eens goed, want het zou kunnen dat er ergens een geheime spionage-actie aan de gang is. Zonder dat gewone mensen het doorhebben, zijn er elk moment tientallen geheim agenten bezig met hun dagelijkse werk: spioneren.

Maar wie zijn die agenten? Hoe herken je ze? Wat doen ze precies? En hoe word je eigenlijk spion? Dat lees je allemaal in dit boek. Je komt dingen te weten die bijna niemand weet over spionage. Bijvoorbeeld hoe je iemands geheimen ontfutselt of hoe je voorkomt dat mensen jóúw geheimen ontdekken. Of hoe je ervoor zorgt dat je haar goed blijft zitten als je op 't dak van een vooruitrazende sneltrein een vijand probeert uit te schakelen.

Bovendien leer je van alles over bekende spionnen. Wat deden ze? Welke trucs gebruikten ze? Veel verhalen in dit boek gaan over spionnen van de afgelopen jaren of zelfs nog verder terug. De geheimen van de spionnen van nu moeten geheim blijven. De vijand leest namelijk ook...

HOE WORD JE SPION?

Wil je graag spion worden? En wil je weten wat je daarvoor moet doen? Dan is er goed nieuws en heel veel slecht nieuws. Het slechte nieuws is dat je eerst gewoon naar school moet. Nog meer slecht nieuws is dat je ook nog eens goede cijfers moet halen. Het laatste slechte bericht is dat je dan nog niet eens zeker weet of je wordt toegelaten bij een geheime dienst. En het goede nieuws? Dat is dat het niet helemáál onmogelijk is om spion te worden…

Toelating

Je wordt niet zomaar toegelaten op een spionnenschool. Voordat de school je toelaat, wil de geheime dienst eerst alles over je weten. Of je wel slim genoeg bent, bijvoorbeeld. Want aan een agent die door zijn domheid allerlei geheimen verklapt, heb je niet veel. Maar een spion moet ook te vertrouwen zijn. Er mag geen enkel risico zijn dat je eerst een uitgebreide opleiding krijgt en vervolgens naar de vijand loopt. Daarom:

…onderzoeken ze zorgvuldig uit wat voor familie je komt. Als een van je ouders misdaden heeft begaan of bij een gevaarlijke actiegroep heeft gezeten, word je niet toegelaten.

...onderzoeken ze alles uit je verleden. Oude schoolvrienden worden ondervraagd, je leraren, buren, kennissen, familie. Kortom iedereen die maar iets met je te maken heeft gehad. Voordat je aangenomen wordt, weten sommige geheime diensten meer van je dan je eigen ouders ooit van je geweten hebben!

...onderzoeken ze of je wel geschikt bent als spion. Heb je stalen zenuwen? Kun je tegen uitputting? Kun je goed met mensen omgaan? Vooral dat laatste is belangrijk, want als spion moet je heel snel en makkelijk contact kunnen leggen.

...en stellen ze je honderden vragen. Maak je altijd de juiste keuzes? Kun je gemakkelijk en snel oplossingen bedenken als je onverwacht in een moeilijke situatie terechtkomt? Wat voor persoon ben je? Deze vragen testen niet alleen of je geschikt bent als spion, maar ook voor welke dienst je het best inzetbaar bent.

Heel veel kandidaten vallen af. Alleen de meest geschikte kandidaten blijven over. Niet per se de intelligentste, vindingrijkste of dapperste. Want hoe goed je ook bent als spion, als je te veel een eigen mening hebt, mag je niet door. Je moet altijd gehoorzamen aan je meerderen. Als je dat in het begin al niet doet, zul je het later als spion ook niet doen.